MW00945136

20 Spanish Short Stories for Adult Beginners

Enrich Your Vocabulary and Improve Your Pronunciation with Daily Life Tales

Acquire A Lot

This book is a work of fiction. Names, characters, places, and incidents either are products of the author's imagination or are used fictitiously. Any resemblance to actual persons, living or dead, events, or locales is entirely coincidental.

For permission requests, write to the publisher at:

Email: sergio@acquirealot.com

ISBN: 9798877875173

Cover Design: Sro

Printed in the USA

Visit us on the web at

www.acquirealot.com

Contents

Introduction

Welcome to our collection of Spanish stories, carefully crafted for beginners who are eager to reinforce their language skills through easy-to-read narratives. This book is designed as a stepping stone for those embarking on their journey of Spanish language learning, offering a delightful and effective way to practice and improve your understanding.

Each story within this book is tailored to suit the needs of beginners, ensuring that the language used is simple, yet engaging. Our goal is to make learning Spanish feel less like a structured classroom exercise and more like an enjoyable exploration of a rich and vibrant language through storytelling.

As you delve into each story, you will find yourself immersed in a variety of contexts, ranging from everyday scenarios to culturally rich narratives, all aimed at providing a comprehensive learning experience. To aid in your learning, each story is accompanied by a list of key vocabularies, a set of comprehension questions, and true/false exercises to test your understanding and retention of the material.

This book is not just about learning Spanish; it's about enjoying the process of learning. It's about discovering the beauty of a language that is spoken by millions around the world. Whether you are a complete beginner or someone looking to brush up on your basics, these stories will serve as a gentle guide on your language learning journey.

Embrace the challenge, enjoy the stories, and let your Spanish language skills flourish!

Bienvenidos y feliz aprendizaje! (Welcome and happy learning!)

Enhance Your Learning with Translated Versions

As you embark on this exciting journey through our Spanish stories, we want to offer you an additional tool to enhance your learning experience. To complement your progress and provide extra support, we have created translated versions of each story in this book.

Why Download the Translated Versions?

1. **Cross-Reference for Better Understanding:** Sometimes, seeing the story in your native language can help clarify complex phrases or concepts.

2. **Boost Your Confidence:** Knowing you have a reference can increase your comfort level and encourage you to tackle more challenging material.

3. **Improve Language Skills:** Comparing the original and translated texts can deepen your understanding of Spanish grammar and vocabulary.

How to Access the Translated Stories?

Scan the QR Code: For an even quicker access, scan the QR code provided with your smartphone. It will take you directly to the translated stories.

Remember, these translations are there to support your learning journey. Use them as a tool to compare, understand, and reinforce what you've learned.

Download Now:

How to use this book

Here's a simple guide on how to get the most out of this book:

1. Read Each Story at Your Own Pace

Begin by reading each story slowly. Don't rush. The goal is comprehension, not speed. If you encounter unfamiliar words, don't worry. This is part of the learning process.

2. Review the Vocabulary Section

After reading a story, go through the vocabulary section. This will help reinforce new words and phrases you've just encountered in the story.

3. Answer the Comprehension Questions

Next, try to answer the comprehension questions. These are designed to test your understanding of the story. It's okay to refer back to the story for answers.

4. Engage with the 'Falso o Verdadero' (True or False) Section

In this section, you'll find 10 statements related to the story. Read each statement carefully and decide if it's true or false. Use a pen to mark your selections. This exercise helps in recalling specific details from the stories and reinforces your understanding.

5. Revisit and Reflect

Language learning is reinforced through repetition. Feel free to revisit stories and exercises. Reflect on your progress and areas where you need more practice.

6. Enjoy the Learning Experience

Remember, learning a new language should be fun! Enjoy the narratives and immerse yourself in the culture and language through these stories.

By following these steps, you'll gradually improve your Spanish reading comprehension, vocabulary, and overall language skills. Happy reading and learning!

1. Un día en la playa

Entonces llegaron las vacaciones. Después de semanas de trabajo, la familia Rawson decidió visitar el mar. Tenían que elegir un lugar para pasar las vacaciones. No era sencillo: en la familia siempre tenían distintas opiniones.

–¿Vamos a las playas de Acapulco? –propuso papá Marco.

–Me gusta más Mar del Plata –dijo mamá Ana.

–Prefiero Río de Janeiro –dijo la joven Margarita.

–Yo quiero viajar a las playas de la luna –propuso Felipe.

Felipe era un niño muy imaginativo. Estaba convencido de que las mejores playas quedaban en la luna. Nadie podía cambiar su opinión.

Para evitar conflictos, Marco y Ana eligieron una opción intermedia, apta para toda la familia: las hermosas playas de Cabo Polonio, en Uruguay.

Llegaron el 3 de febrero al hotel "Ventanas al mar", un hotel con una hermosa vista al mar uruguayo y al Océano Atlántico.

Estaban todos listos para salir corriendo a la playa. Para zambullirse en el mar. Para descansar en la arena. Pero había un pequeño problema: el cielo estaba lleno de nubes y el viento soplaba con intensidad. Había posibilidades de tormenta.

–¿Qué hacemos? –preguntó Marco.

–No podemos ir todavía, es peligroso –dijo mamá Ana.

–Podemos jugar a mirar por la ventana y describir cosas –dijo Felipe, fanático de los juegos.

Margarita no dijo nada. Estaba concentrada en su celular. Primero buscó opciones para fiestas nocturnas, después buscó opciones de restaurantes para cenar, después buscó opciones de museos. Planificó el resto del día rápidamente, con esa velocidad típica de las nuevas generaciones. Era una joven muy práctica y eficiente.

Cuando terminó, Margarita empezó a escribir mensajes con su novio argentino.

Mensaje de Margarita: "¿Qué es eso que tienen todos los uruguayos en la mano?"

Respuesta de su novio argentino: "Es un termo. Tiene agua caliente. Para el mate".

Mensaje de Margarita: "¿Mate? ¿Qué es mate?".

Respuesta de su novio argentino: "Es la bebida más popular de Uruguay y de Argentina. Se puede tomar dulce o amargo".

Mensaje de Margarita: "¿Cómo la caipirinha?!".

Respuesta de su novio argentino: "No, esto no tiene alcohol. ¡Es como un té! En realidad, es como muchas tazas de té, una tras otra".

Margarita pensó que era una bebida curiosa y que en algún momento la probaría. Guardó el celular y observó a su familia.

Estaban todos mirando por la ventana, claramente ansiosos por ir a la playa.

–Veo veo –dijo Ana.

–¿Qué ves? –dijo Felipe.

–Algo rojo y negro, muy pequeño, en el medio del mar.

–¡Un barco! –dijo Felipe.

–No hay barcos en este momento –dijo su madre.

–¡Un barco imaginario! –dijo Felipe.

–Emm… no. Se mueve con el viento.

–Ya sé. ¡Esa bandera!

–Exacto –dijo Ana. Esa bandera significa que es peligroso entrar en el mar.

–Ohhh… Bueno, es mi turno –dijo Felipe. Veo veo.

–¿Qué ves? –dijo Marco.

–Una cosa amarilla.

–Mmm… ¿Esa sombrilla?

–No –dijo Felipe. Es más pequeño.

–¡El sombrero de esa señora! –dijo Marco, señalando una señora uruguaya que corría en la playa. Tenía un mate bajo un brazo y con la otra mano trataba de atrapar su sombrero. El viento lo movía de un lado al otro.

–Jaaa, pobre señora –dijo Felipe. Lo que veo es algo muy muy muy pequeño y no es una vestimenta. Y está en el suelo.

–¿Ah? Pero no hay nada en el suelo –dijo papá Marco.

–Claro que sí. Hay muchas cosas pequeñas y amarillas.

–¿Un grano de arena? –dijo, sorprendida, Margarita.

–¡Exacto! –dijo Felipe.

Margarita era muy buena para las adivinanzas también.

Era una adolescente muy despierta, que ahora bostezaba.

La familia entera estaba un poquito cansada. Durmieron una breve siesta. Cuando despertaron había otra cosa amarilla, enorme, en el medio del cielo. El clima estaba cambiando y las nubes se iban, lentamente. El sol comenzó a brillar.

Un guardavidas entró en el agua y cambió la bandera. Puso una bandera de color amarillo. Eran, definitivamente, buenas noticias.

Todos se prepararon para ir a la playa. Se pusieron bronceador, buscaron sus gorras y sombreros, prepararon la sombrilla, las reposeras, las toallas, varias botellas de agua, los juguetes y el snorkel para bucear.

Camino a la playa, Margarita miró atentamente el celular. Estaba controlando los pronósticos del clima. La alerta por tormenta había terminado.

Tenían algunas horas de sol y tranquilidad por delante.

Margarita googleó "¿Qué significa una bandera amarilla en el mar?".

El resultado decía: "El color amarillo en una bandera en la playa significa que te puedes bañar en el mar. Pero con precaución y cerca de la orilla".

Con cuidado, entonces, la familia Rawson colocó las toallas en la arena. Marco puso la sombrilla, mamá les puso bronceador a todos. Ya estaban listos para entrar al agua. Marco y Felipe caminaron de la mano hacia la orilla. Era la primera vez que Felipe veía el mar.

–El mar –dijo –. Es increíble.

–Sí, dijo Marco –es algo hermoso.

–Es muy grande. ¿Es más grande que un país? –preguntó Felipe.

–Es más grande que todos los países –dijo Marco.

–La mayor parte del planeta es agua, toda agua –dijo Margarita. Estaba en bikini y tenía el snorkel. Se zambullía en las olas, y después salía. Era fanática de nadar.

–Es demasiado grande, me puede comer –dijo Felipe, señalando el mar. A veces tenía miedos extraños. Este era uno de esos momentos.

–Si sabes nadar como yo, no hay problema –dijo Margarita, y volvió a zambullirse.

Felipe dudó y dio un paso hacia atrás.

–¡Al agua! –gritó Ana, y se tiró de cabeza al mar.

Felipe prefirió quedarse en la orilla. Buscó sus juguetes y, junto con papá Marco, comenzaron a construir un castillo de arena.

Había cada vez más personas en la playa. Había muchas personas con mate, una familia de alemanes que estaban más pálidos que una hoja de papel, un señor que vendía sombrillas y algunos perros que saltaban directo a las olas.

Ana y Margarita salieron del agua. Se acostaron en la arena y tomaron sol.

Felipe estaba terminando su castillo.

–Se llama "Ventana al mar" –dijo.

–El mismo nombre que el hotel –dijo Marco.

–Exacto –dijo Felipe. ¡Pero este hotel está más cerca del mar!

Marco se río. Después se sacudió la arena y camino despacio hacia la orilla. Puso un pie en el agua, luego otro, y luego entró caminando muy lentamente. La mitad de papá Marco estaba adentro del agua, la otra mitad afuera.

–Mirá –le dijo a Felipe. –Es posible entrar al agua, pero solo un poquito.

A Felipe le gustó la idea. Fue caminando hacia su padre y puso solo un dedo en el agua. Después puso otro dedo, después puso el pie entero. Y finalmente dio tres pasos.

El agua tenía movimiento. Iba para un lado, luego para otro. Era muy divertido y refrescante. Estuvieron más de una hora en el agua, cerca de la orilla. Felipe no quería salir.

–¿Las playas de la Luna también son así? –preguntó en un momento.

–Emm… la verdad que las playas de la luna no tienen agua –dijo Margarita, y caminó hacia el agua. Ana corrió y entró al mar, otra vez.

La familia entera estaba en el agua. Unos días atrás, estaban todos en su casa, cenando juntos alrededor de la mesa. Ahora estaban todos adentro del agua al mismo tiempo. En el mar, el lugar más grande del planeta.

Margarita buscó su celular. Le sacó una foto a la familia, nadando en el océano, y otra a un mate. Era rico, pero un poco amargo.

Le envió una foto a su novio argentino. Después le sacó una foto al castillo de arena. La verdad, era increíblemente parecido al hotel. Margarita imaginó que miraba por la ventana del castillo de arena. Imaginó que en una de las habitaciones estaba toda la familia. Dormían todos bajo la luna llena, después de una gran noche de verano.

Vocabulario

1. **Playa** - beach
2. **Vacaciones** - vacation
3. **Trabajo** - work
4. **Familia** - family
5. **Acapulco** - acapulco (a city in mexico, remains the same in english)
6. **Mar del plata** - mar del plata (a city in argentina, remains the same in english)
7. **Río de janeiro** - rio de janeiro (a city in brazil, remains the same in english)
8. **Luna** - moon
9. **Imaginativo** - imaginative
10. **Hotel** - hotel
11. **Viento** - wind
12. **Tormenta** - storm
13. **Peligroso** - dangerous
14. **Celular** - cell phone
15. **Restaurante - restaurant**
16. **Museo** - museum
17. **Argentino** - argentine (as an adjective), argentinean (as a noun)
18. **Mate** - mate (a traditional south american drink, remains the same in english)
19. **Bandera** - flag
20. **Mar** - sea

Preguntas

1. ¿Dónde decidió la familia Rawson pasar sus vacaciones?
2. ¿Qué problema encontraron al llegar a la playa?
3. ¿Cómo se llama el hotel donde se hospedaron?
4. ¿Qué estaba haciendo Margarita mientras los demás miraban por la ventana?
5. ¿Qué significa la bandera amarilla en la playa según la búsqueda de Margarita?
6. ¿Quién no quería entrar completamente al mar y por qué?
7. ¿Qué construyó Felipe en la playa y cómo lo llamó?

Falso o Verdadero

1. (F) o (V): La familia Rawson decidió pasar sus vacaciones en Mar del Plata.
2. (F) o (V): Felipe quería ir a las playas de la luna.
3. (F) o (V): Llegaron al hotel "Ventanas al mar" el 5 de febrero.
4. (F) o (V): Al llegar, el cielo estaba despejado y perfecto para ir a la playa.
5. (F) o (V): Margarita pasó mucho tiempo planificando actividades en su celular.
6. (F) o (V): La bandera roja y negra en la playa indicaba que era seguro nadar.
7. (F) o (V): El mate es una bebida popular en Uruguay y Argentina.
8. (F) o (V): Margarita era aficionada al snorkel y a nadar en el mar.
9. (F) o (V): Felipe construyó un castillo de arena llamado "Mar de la luna".
10. (F) o (V): Al final de la historia, la familia Rawson disfruta de un día soleado en la playa.

Respuestas

Preguntas

1. En las playas de Cabo Polonio, en Uruguay.
2. El cielo estaba lleno de nubes y había posibilidad de tormenta, por lo que era peligroso ir al mar.
3. El hotel se llama "Ventanas al mar".
4. Margarita estaba concentrada en su celular, buscando opciones para fiestas nocturnas, restaurantes y museos, y luego escribió mensajes a su novio argentino.
5. Significa que se puede bañar en el mar pero con precaución y cerca de la orilla.
6. Felipe no quería entrar completamente al mar porque a veces tenía miedos extraños y pensaba que el mar era demasiado grande y podría "comerlo".
7. Felipe construyó un castillo de arena y lo llamó "Ventana al mar", igual que el nombre del hotel.

Falso o Verdadero

1. Falso
2. Verdadero
3. Falso
4. Falso
5. Verdadero
6. Falso
7. Verdadero
8. Verdadero
9. Falso
10. Verdadero

2. El Día de la Compra

Hay días especiales. Días cuando todo está bien, días cuando hay buenas noticias, días perfectos para salir a caminar, días para estar tranquilos, días de fiesta.

¡Y también están los días especiales cuando la heladera está completamente vacía y no hay nada para comer!

El primero en descubrirlo fue Felipe. Se despertó, se lavó los dientes (porque hay que lavarse los dientes con frecuencia) y fue a la cocina a buscar el desayuno. Pero no había nada en las alacenas, solo condimentos. En la heladera había brócoli (puaj), espinaca (puaj), manzanas (mmmm), media botella de vino (prohibida para menores de 18 años) y café (puaj).

-¡No hay nada para el desayuno! -dijo en voz alta, delante de la heladera.

- Si hay. Tenemos café y manzanas -dijo papá Marco, siempre tan optimista. Bostezó y acarició la cabeza de su hijo.

- En esta heladera no están las vitaminas y los ingredientes necesarios para una buena salud -dijo Margarita. Estaba mirando la heladera y googleando los componentes de cada alimento.

-Hora de ir al supermercado entonces -dijo mamá Ana, recién despierta. Era una persona increíblemente eficaz y rápida.

Miró a su familia. Papá Marcos hizo un gesto negativo.

-Tengo una reunión. En cinco minutos.

-Papá, ¡Estás en pijamas! -dijo Felipe.

- Es una reunión virtual, -dijo Marco, riéndose.

- ¿Margarita, nos acompañas al supermercado? -preguntó Ana.

Margarita estaba concentrada en su celular, escribiéndole a Elena, una de sus amigas, para ir a desayunar a su bar preferido.

-Me voy a desayunar con Elena -dijo entonces, cerrando la puerta y despidiéndose.

-Bueno, Felipe, tendremos que ir nosotros dos solos al supermercado -dijo mamá Ana.

- ¡Misión supermercado, la aventura del día! -dijo Felipe, contento.

Llegaron al supermercado media hora después. Era media mañana, quizás por eso había poca gente y muchos productos.

-Estoy obnubilado -dijo Felipe, a quien le encantaban las palabras raras y nuevas.

-Obnubilado, Felipe, es "obnubilado" -explicó Ana. Agarró un carro de las compras y subió a Felipe encima.

- ¡Viaje en carrito! -grito Felipe. Soy el Comandante de las compras.

-Bueno, Comandante, ¿por dónde empezamos? -preguntó Margarita.

-Por la zona de la leche -dijo Felipe.

-Error, comandante. Los productos frescos tenemos que comprarlos al final. Es para que se conserven mejor.

-Bueno, ¡sector de enlatados primero! -dijo Felipe, y señaló hacia los estantes donde había latas de arveja, garbanzos, atún, sardinas, salsas, alubias, aceitunas, choclos y arvejas. Fueron hacia allí y eligieron varios productos.

En una esquina, había una enorme pirámide de latas de sopa. Felipe odiaba la sopa.

-Mamá, momento de atacar el monstruo de las sopas -dijo, señalando hacia la pirámide.

Ana condujo el carrito rápidamente hacia las sopas pero, antes de llegar, frenó y levantó las manos.

-Esto no es correcto, hijo. A papá le gustan las sopas. Si destruimos el monstruo, papá se queda sin su comida preferida -dijo Ana.

-... es verdad -dijo Felipe -. ¿Qué hacemos?

- Cambio de estrategia -dijo Ana -. Llevamos, pero solamente 2 latas.

El siguiente sector del supermercado eran las harinas y las botellas: había aceite de girasol, aceite de oliva, aceite de oliva extra, vinagre (puaj, dijo Felipe). Fideos en forma de moño, fideos largos, fideos largos y finos, fideos para sopa.

- Hora de jugar a aprender los números -dijo Felipe, aplaudiendo con las manos.

Ana frenó el carrito del supermercado y miraron una góndola con distintos precios. Un cartel decía "56", otro "320", otro "1230", y otro "999,99".

- Bueno, comencemos en orden - dijo Anita.

- Cincuenta y seis -dijo Felipe, señalando el primer cartel.

- Perfecto -dijo Anita-. El próximo.

- Trescientos veinte -dijo Felipe.

- Muy bien -dijo Anita-. El siguiente.

- Em… un mil doscientos treinta -dijo Felipe.

- Se dice "mil" no "un mil" -dijo Ana -.

- Ahhhh, bueno -dijo Felipe.

- Ahora el último.

- Mmm… es difícil…

- Solo un poco. Inténtalo..

-Novecientos noventa y nueve… ¿coma? noventa y nueve.

-Muy bien. Lo correcto es decir "con" y no coma", pero lo otro está perfecto.

- ¡Gané! -gritó entonces Felipe, haciendo un gesto victorioso con el puño.

La siguiente sección era la de papeles y elementos de limpieza general.

Servilletas, rollos de cocina, pañuelos descartables, pasta dentífrica, líquidos para la limpieza, detergente, rejillas, trapos de piso, escobas, escobillones. Era la parte más aburrida para Felipe: ¡Ninguna cosa era para comer!

De todas maneras, encontró un nuevo juego. Un trabalenguas especial.

-Mamá, ¿puedes repetir esto? "Tres tristes tigres compran tres dentífricos y trece detergentes para estar más alegres y con los trescientos dientes de tigre bien limpios".

-Tres tri… tres tristes trig…. tres tristes…

Ana se río. Intentó repetir la frase, pero era muy difícil. Felipe era bueno inventando trabalenguas.

-Otra victoria para el comandante Felipe -dijo Felipe, levantando el puño.

La siguiente sección del supermercado era la parte de las frutas y verduras. Una fiesta de colores y de sabores y de precios y de texturas. Felipe podía estar horas ahí. Había frutillas, duraznos, manzanas, cerezas, ciruelas, higos, melones, sandías, bananas, naranjas, mandarinas. También estaban las dos comidas preferidas de Margarita: Kiwi y palta.

Ana compró varios para su hija, y después eligió las verduras: dos kilos de papa, un kilo de cebolla, un kilo de zanahoria, dos pimientos, berenjenas (Marco amaba las berenjenas), ajo, perejil y cilantro (Ana amaba el cilantro).

La aventura del supermercado estaba casi llegando a su final. Solo faltaban tres góndolas.

- ¿Cuáles? -le preguntó Ana a Felipe.

-Golosinas -dijo Felipe, aplaudiendo.

-Es verdad. ¿Y las otras dos?

-Carnes -gritó Felipe, contento.

-Muy bien… ¿y?

-Mm… no sé -dijo Felipe, pensativo.

- ¿Qué tomas en el desayuno? -preguntó Ana.

-Leche y yogur -dijo Felipe.

-Exacto. Los lácteos.

Así que Ana y Felipe compraron carnes, compraron también leche, yogur y manteca y, finalmente, algunos paquetes de caramelos y de galletas.

Las compras estaban listas. Solo faltaba pagarlas, claro.

Felipe tenía un juego más.

-Ahora voy a cerrar los ojos y decir direcciones -dijo.

- ¿Qué juego es ese? -preguntó Ana.

-Memoricé el recorrido del supermercado -dijo Felipe -. Creo que puedo recordar el camino hacia las cajas con los ojos cerrados.

Era un chico muy atento, definitivamente.

Felipe indicó que había que ir derecho por dos pasillos, luego doblar en la góndola de verduras, pasar por el frente del estante con paquetes de mayonesa, luego hacer cincuenta metros. En la pirámide de latas de sopa tenían que doblar a la derecha. Luego de diez metros estaba el sector de cajas, con tres cajeras muy atentas, recibiendo la mercadería.

Una era rubia, muy parecida a Margarita.

Otra era morocha, curiosamente parecida a Ana.

La tercera era colorada, igual que Elena, la amiga de Margarita. Era, de hecho, increíblemente igual.

-Hola Ana, hola Felipe -dijo la cajera colorada, y saludó desde lejos.

- ¿Elena? -preguntó Ana.

-La misma. Trabajo a medio tiempo acá -dijo ella, contenta.

Margarita sonreía desde la puerta. Los estaba esperando. Había desayunado con su amiga y después la acompañó a su trabajo en el supermercado.

-¿Compraron palta y kiwi? -preguntó Margarita entonces.

-Obvio -dijo Ana sonriendo y señalando la gran bolsa de frutas.

Regresaron a casa y pusieron cada cosa en su lugar.

La heladera estaba completamente llena, con miles de vitaminas e ingredientes buenos para la salud.

Los Rawson cocinaron ravioles y pusieron la mesa.

-Marcoooo -gritó Ana. ¡Hora del almuerzo!

Marco se sentó contento en la mesa. Pero había algo extraño: Felipe y Margarita empezaron a reírse.

- ¿Qué? ¿Qué pasa? -preguntó Marco.

Entonces miró su ropa. ¡Todavía estaba en pijamas!

Vocabulario

1. **Heladera** - refrigerator
2. **Dientes** - teeth
3. **Desayuno** - breakfast
4. **Condimentos** - condiments
5. **Brócoli** - broccoli
6. **Espinaca** - spinach
7. **Manzanas** - apples
8. **Vino** - wine
9. **Café** - coffee
10. **Supermercado** - supermarket
11. **Reunión** - meeting
12. **Pijamas** - pajamas
13. **Bar** - bar (remains the same in english)
14. **Carrito** - cart
15. **Sopas** - soups
16. **Fideos** - noodles
17. **Frutas** - fruits
18. **Verduras** - vegetables
19. **Kiwi** - kiwi (remains the same in english)
20. **Palta** - avocado

Preguntas

1. ¿Quién fue el primero en descubrir que la heladera estaba vacía?
2. ¿Qué fruta había en la heladera que a Felipe le pareció agradable?
3. ¿Qué estaba haciendo Marco cuando Ana propuso ir al supermercado?
4. ¿Con quién se fue a desayunar Margarita?
5. ¿Qué juego inventó Felipe en la sección de papeles y elementos de limpieza?
6. ¿Qué frutas compró Ana para Margarita en el supermercado?
7. ¿Cómo estaba vestido Marco cuando fue llamado para el almuerzo?

Falso o Verdadero

1. (F) o (V): Felipe y su familia decidieron ir al supermercado porque necesitaban comprar condimentos.
2. (F) o (V): En la heladera de Felipe, había medio litro de jugo.
3. (F) o (V): Felipe y su madre, Ana, fueron los únicos que fueron al supermercado.
4. (F) o (V): Durante las compras, Felipe se emocionó al ver la sección de sopas en el supermercado.
5. (F) o (V): Felipe y Ana compraron todas las latas de sopa de la pirámide.
6. (F) o (V): En el supermercado, Felipe aprendió a pronunciar correctamente la palabra "obnubilado".
7. (F) o (V): Ana y Felipe jugaron a adivinar precios en la sección de lácteos.
8. (F) o (V): Felipe memorizó el camino hacia las cajas del supermercado con los ojos abiertos.
9. (F) o (V): La cajera colorada del supermercado era una amiga de Margarita llamada Elena.
10. (F) o (V): Al volver a casa, la familia Rawson preparó pizza para el almuerzo.

Respuestas

Preguntas

1. Felipe.
2. Manzanas.
3. Estaba preparándose para una reunión virtual.
4. Con su amiga Elena.
5. Un trabalenguas especial.
6. Kiwi y palta.
7. Todavía estaba en pijamas.

Falso o Verdadero

1. Falso
2. Falso
3. Verdadero
4. Falso
5. Falso
6. Verdadero
7. Falso
8. Falso
9. Verdadero
10. Falso

3. El Paseo en Bicicleta

Es un día primaveral, un sábado soleado, con clima fresco y una temperatura ideal para pasear. Hay tantas opciones: jugar al fútbol en el parque, hacer un picnic, visitar amigos, ir de paseo, hacer senderismo, saltar de un paracaídas.

Margarita y su amiga Elena están sentadas en el patio trasero. Margarita busca ideas y opciones con el celular. Elena, que es muy soñadora, tiene propuestas extremas: hacer dedo y viajar por Sudamérica, ir a las Islas Galápagos, conocer el increíble Salar de Uyuni.

-Elena, es fin de semana, solo tenemos dos días antes de volver a clases -dice, razonable, Margarita.

- ¿Bueno, entonces qué hacemos? -pregunta Elena -. Quiero hacer algo nuevo, algo divertido.

Margarita se queda pensativa. Busca en el celular distintas opciones, pero no le gusta ninguna. Hasta que levanta la cabeza y sale caminando hacia el garage. Margarita y Elena entran ahí, donde está repleto de cosas: herramientas, el auto de la familia, estantes viejos, un tocadiscos también.

-Mira -le dice Margarita a Elena.

- ¿Qué? ¿Pasear por el garage? ¿Esa es la idea?

-No, no. Mira bien.

Margarita le señala un rincón a Elena. Hay tres bicicletas. Una vieja bicicleta roja, una bicicleta negra y verde, todo terreno, y una pequeña bicicleta blanca y azul.

-Vamos a conquistar la montaña en bicicleta -dice Margarita.

- Gran idea -dice Elena -. Elijo la bicicleta todo terreno.

- Je, no eres tonta tú, te eliges la mejor -le dice Margarita -. Entonces uso la vieja bicicleta de mi madre. Es antigua, pero muy resistente.

- ¿Y esa otra? -pregunta Elena.

- Esa es la bicicleta de mi hermano menor. Es un regalo de Navidad. Pero él no quiere usarla - explica Margarita.

- ¿Por qué no quiere usarla?

- Mi hermano es muy imaginativo. Y dice que la bicicleta es un monstruo peligroso.

Elena se ríe. Margarita recoge las bicicletas y las saca del garage. Están listas para ir de paseo en bicicleta y mirar la ciudad.

Mientras ellas dos atraviesan el barrio y comienzan su paseo, Felipe mira, aburrido, su habitación. Es un día hermoso para estar encerrados.

- Papá -grita Felipe. Hagamos algo divertido.

Marco se asoma a la habitación de su hijo. Tiene una brillante idea.

-Felipe, es un día perfecto para enfrentar a tu enemigo -dice.

-¿A quién? -pregunta Felipe.

- A la bicicleta de Navidad.

- Puede ser -dice Felipe, y acompaña a su padre al garage.

Ambos miran la pequeña bicicleta.

-¿Estás seguro? -le pregunta Felipe a su padre.

-Sí, es un buen día. Tienes que atreverte. Yo te ayudaré.

Pero Felipe da un paso atrás, pensativo. Necesita un tiempo para juntar coraje.

Margarita y Elena, mientras tanto, se alejan del barrio. Llegan al parque Márquez, el parque más esplendoroso de la ciudad. En el parque Márquez hay árboles, juegos, un laberinto de arbustos, una biblioteca ambulante, monumentos a personas ilustres y una senda para pasear en bicicletas.

Margarita y Elena se detienen en la senda. Tienen dos opciones: ir hacia la izquierda, donde el camino se dirige hacia una montaña, o ir hacia la derecha, por un camino que se dirige al zoológico.

Elena, que es muy aventurera, señala hacia la montaña.

-Me gusta el camino más difícil -dice.

-Perfecto, a mi me gustaría mirar la ciudad desde la cima de la montaña -dice Margarita.

Con esfuerzo, las dos suben por la montaña. Es un camino que por momentos es encrespado, y por momentos más sencillo. En medio del camino, Margarita y Elena se detienen para hidratarse (algo muy necesario).

- ¿Continuamos?-pregunta Margarita.

-Un minutito, tengo que recuperar el aire -dice, agotada, Elena.

Allá, a lo lejos, puede verse la casa de la familia Rawson.

Marco abre la puerta del garage y camina al lado de la pequeña bicicleta. Felipe mira todo, desde lejos.

-Es así -dice Marco -. Primero la miras con cariño, como si fuera una mascota. Y la acaricias.

Felipe hace caso y se acerca a la bicicleta.

-Luego -dice Marco - pones un pie en los pedales y te subes a ella.

Felipe mira a su padre, inseguro. Entonces da un valiente paso adelante y sube a la bici.

-Ahora es fundamental mantener el equilibrio -dice su padre, y se para al lado de su hijo, para ayudarlo.

Al principio la bicicleta se mueve de un lado al otro, y Felipe mira a su padre un poco preocupado. Pero luego logra quedarse quieto.

-Y ahora, vamos a avanzar juntos -dice Marco.

Felipe no está muy convencido. Mira hacia las montañas con atención.

-Mira, papá -dice, sorprendido -. Una bicicleta muy roja, ¿no es la bicicleta de mamá?

- Creo que sí -dice Marco, asombrado.

Son Elena y Margarita, que están llegando a la cima de la montaña Elena está cansada, por eso hacen el camino a pie, con las bicicletas al lado.

-Lo mejor -dice Elena -va a ser el regreso. Vamos a ir a toda velocidad, camino abajo, sin cansarnos.

-Estás equivocada, amiga -dice Margarita.

- ¿Equivocada?

- Sí. Porque lo mejor llega ahora mismo -dice Margarita.

Es el final del camino. Margarita y Elena están en la cima de la montaña. Hay un hermoso mirador con lugares para sentarse y un espacio para dejar las bicicletas. Elena se sienta a descansar en un banco, y respira, agitada. Margarita, en cambio, camina hacia el borde de la montaña.

- Es increíble -dice.

- ¿Qué cosa? -pregunta Elena.

- Puede verse toda la ciudad - dice Margarita.

Y entonces señala. En un costado está el colegio, en otro costado el comienzo del parque, más allá la zona de restaurantes y discos, los diferentes barrios, el lago.

- Ahí está el supermercado -dice Elena, señalando el lugar donde trabaja cuatro horas al día, un supermercado enorme.

-Y ahí está mi casa -dice Margarita.

- Es muy lejos, no veo bien -dice Elena.

Pero Margarita tiene una sorpresa. Busca en la mochila y saca distintos objetos: una botella de agua extra, un mate (que compró en el viaje a Uruguay), una foto de su novio argentino, una billetera, unos auriculares y, finalmente, el objeto más necesario.

- ¿Qué se supone que es eso? -pregunta, asombrada, Elena.

- Son binoculares -dice Margarita. Podemos mirar la ciudad entera con ellos.

- ¿De dónde sacaste binoculares? -pregunta Elena.

- Mi madre es una gran ciclista y es fanática exploradora. No olvides que es especialista en plantas y animales. Tiene todo tipo de cosas necesarias para la vida en la naturaleza -explica Margarita.

Pero Elena apenas la escucha. Está parada en la cima de la montaña, ahora, mirando la ciudad con los binoculares.

-Esa es tu casa, definitivamente -dice, señalando un punto lejano.

- Te dije -dice Margarita, que agarra los binoculares.

Entonces Margarita ve, desde esa distancia, la casa de familia. El techo de tejas, la entrada, el jardín trasero y también a un niño que está arriba de una bicicleta.

- No puedo creerlo -dice entonces.

- ¿Qué pasa? ¿Qué viste? -dice Elena.

- Mi hermano pequeño, está usando la bicicleta por primera vez -dice entonces Margarita, contenta.

Después regresan juntas, a toda velocidad, montaña abajo.

Para subir a la montaña necesitaron cuarenta minutos, y solamente en cinco minutos están abajo. El tiempo es algo increíble: puede pasar lento y de pronto pasa sumamente rápido. El espacio también es algo increíble: algo está lejísimos, y entonces está cerca. Eso piensa, filosófica, Margarita.

Ya están cerca de casa. Han regresado.

Felipe, contento, pasea en bicicleta de acá para allá. ¡No quiere bajarse de ninguna manera!

Vocabulario

1. **Primaveral** - spring-like
2. **Sábado** - saturday
3. **Fútbol** - soccer/football
4. **Picnic** - picnic (remains the same in english)
5. **Senderismo** - hiking
6. **Paracaídas** - parachute
7. **Patio** - patio/backyard
8. **Celular** - cell phone
9. **Soñadora** - dreamer (feminine)
10. **Islas galápagos** - galapagos islands
11. **Clases** - classes
12. **Garage** - garage (spelled as "garaje" in some spanish-speaking regions)
13. **Bicicleta** - bicycle
14. **Montaña** - mountain
15. **Hermano menor** - younger brother
16. **Monstruo** - monster
17. **Parque márquez** - márquez park
18. **Laberinto** - labyrinth/maze
19. **Biblioteca ambulante** - mobile library
20. **Mirador** - lookout/viewpoint

Preguntas

1. ¿Qué clima había en el día descrito en la historia?
2. ¿Qué estaba haciendo Margarita en el patio trasero al inicio de la historia?
3. ¿Qué tipo de bicicleta eligió Elena para su paseo?
4. ¿Qué piensa el hermano menor de Margarita sobre su bicicleta?
5. ¿Dónde se encontraban Margarita y Elena cuando llegaron al parque Márquez?
6. ¿Qué tipo de objetos sacó Margarita de su mochila en la cima de la montaña?
7. ¿Cómo reaccionó Felipe al principio cuando su padre le sugirió enfrentar a su "enemigo"?

Falso o Verdadero

1. (F) o (V): Margarita y Elena decidieron ir a nadar en el lago como actividad de fin de semana.

2. (F) o (V): El hermano menor de Margarita ya había utilizado su bicicleta antes de este día.

3. (F) o (V): Marco propuso a Felipe ir a jugar al fútbol como actividad divertida.

4. (F) o (V): Margarita y Elena se detuvieron a descansar en el parque antes de elegir su camino.

5. (F) o (V): Elena y Margarita subieron la montaña en bicicleta sin detenerse.

6. (F) o (V): Marco enseñó a Felipe cómo cuidar y acariciar la bicicleta antes de montarla.

7. (F) o (V): La madre de Margarita es especialista en plantas y animales.

8. (F) o (V): Margarita y Elena se encontraron con Felipe en la cima de la montaña.

9. (F) o (V): La historia ocurre durante un fin de semana de invierno.

10. (F) o (V): Margarita y Elena trabajan juntas en un supermercado.

Respuestas

Preguntas

1. Era un día primaveral, un sábado soleado, con clima fresco y temperatura ideal para pasear.
2. Margarita estaba buscando ideas y opciones con el celular.
3. Elena eligió la bicicleta negra y verde, todo terreno.
4. Él piensa que la bicicleta es un "monstruo peligroso".
5. En la senda para pasear en bicicletas, decidiendo si ir hacia la montaña o hacia el zoológico.
6. Margarita sacó de su mochila una botella de agua extra, un mate, una foto de su novio argentino, una billetera, unos auriculares y binoculares.
7. Felipe estaba inseguro y dio un paso atrás, necesitando tiempo para juntar coraje.

Falso o Verdadero

1. Falso
2. Falso
3. Falso
4. Falso
5. Falso
6. Verdadero
7. Verdadero
8. Falso
9. Falso
10. Falso

4. La visita al museo

El futuro. ¿Qué ocurrirá en el futuro? ¿Cómo serán los próximos años? ¿Y las próximas décadas? ¿Cuáles serán los nuevos inventos de la civilización? ¿Cuáles serán las nuevas experiencias? ¿Qué conoceremos? ¿Qué aprenderemos en los tiempos que vienen?

Todas esas preguntas tenía Margarita en la cabeza. Era una chica reflexiva, inquieta y un poco filosófica. Pero tenía una pregunta más importante y más personal. ¿Qué voy a hacer cuando termine el colegio?

La respuesta no era fácil. Entonces ella y Elena tuvieron una idea. Ir a visitar el museo Siqueiros, el mejor museo del país, y hablar con José, el tío de Margarita.

José tenía cuarenta y cinco años. Era director del museo. Había estudiado Bellas Artes, había hecho un posgrado en el exterior, había estudiado idiomas (inglés, portugués e italiano) y ahora trabajaba en el museo más importante del país.

Para llegar al museo, Margarita y Elena tuvieron que tomar un colectivo y viajar una hora. El museo Siqueiros estaba en el otro extremo de la ciudad, pasando por la zona comercial, la zona de parques y la zona industrial.

- Es un poco extraño esto -dijo Elena.

- ¿Qué cosa? - preguntó Margarita.

- Ir a un museo a buscar respuestas para el futuro - dijo Elena.

- ¿Qué tiene de extraño?

- Y… en un museo hay obras del pasado. ¿No?

- Sí, es verdad. En un museo hay exposiciones. Y muchas de esas exposiciones son obras del pasado.

- Bueno… vamos a un lugar especializado en el pasado… a buscar respuestas del futuro… -dijo Elena.

- En la clase de historia nos enseñaron que el mejor lugar para buscar respuestas es el pasado -dijo Margarita (que era fanática de la clase de historia del colegio).

- Em… bueno -dijo Elena.

No estaba muy convencida, a decir verdad. Pero tenía mucha simpatía por el tío José, un hombre ocurrente y muy divertido, que además siempre tenía buenos consejos.

El Museo Siqueiros estaba en una mansión antigua, en el extremo norte de la ciudad. Tenía tres pisos, un subsuelo y muchísimas obras: arte clásico, arte contemporáneo, una sección de fotografía, una sección de escultura, videoarte, arte pop, arte de vanguardia, arte para niños. Era tan grande que Elena y Margarita no sabían por dónde empezar.

Por suerte, José las estaba esperando en su oficina.

- Hola, jovencitas -dijo, contento -. Lindo día para visitar el museo.

- Sí, em… bueno -dijo Elena, insegura.

- ¿Cuál es tu recomendación? ¿Por dónde comenzamos? -preguntó Margarita.

- Un museo es una aventura, pueden elegir sus propios caminos -dijo, sonriente, José -. Pero una cosa es importante.

- ¿Qué cosa, qué cosa? -preguntó ansiosa Elena.

- Recuerden que un museo no es solamente un conjunto de obras relacionadas con el pasado. Tienen que preguntarse, siempre, qué relación tiene cada obra con el presente.

- Uf, difícil -dijo Elena.

- Pero divertido -dijo Margarita.

Estaban listas para comenzar a pasear por el museo.

La primera sección fue la de arte clásico. En esta sección no había obras originales, porque las obras originales estaban en otros importantísimos museos del mundo. Pero encontraron réplicas de obras de muchos artistas famosos del pasado. La pintura que más llamó la atención de las chicas era la pintura había algo asombroso: un reloj derretido.

- ¿Un reloj derretido? -dijo, enojada, Elena. ¿Qué es eso? ¿Quién imagina algo así?

- A mí me gusta -dijo Margarita -. Me ayuda a pensar.

- ¿Pensar? ¿En qué?

- En el tiempo que vivimos. Es algo tan… líquido… eso. El tiempo pasa rápidamente. Como una gota de agua. Un día estamos pensando en el futuro, y unos días después el futuro ya está presente.

- Impresionante -dijo Elena -. Me gusta cuando te pones filosófica.

La siguiente sección fue la sección de arte de vanguardia. Una sección con cuadros muy extraños: cuadros con rectángulos y cuadrados, cuadros que tenían solamente un color, cuadros con personas volando, cuadros que solamente usaban líneas y puntos. Y también cuadros que tenían cuadros adentro.

- Ahora sí que no entiendo nada -dijo Elena.

- Yo tampoco -confesó Margarita.

- No es importante qué entienden. Es importante qué sienten -dijo una voz. Era el tío José, estaba detrás de ellas, comiendo una manzana -. Entonces: ¿cómo se sienten?

- Me siento totalmente confundida. Son… cuadros demasiado simples - dijo Elena.

- Aha - dijo José. ¿Y entonces?

- Cualquier persona puede hacer un cuadro así -dijo Margarita.

- Exacto -dijo José -. El arte de vanguardia muchas veces tenía ese objetivo.

- ¿Ser muy simple? - preguntó Elena.

- Poner a la gente incómoda -dijo José. Y también otra cosa: los artistas de vanguardia muchas veces pensaban que no era necesario ser un genio para ser artista. Un artista podía ser cualquier persona. El arte, para ellos, era algo accesible y no elitista.

- Como el lenguaje -dijo Margarita, sorprendida.

- Exacto -dijo José. Todas las personas pueden usar las palabras. Y todas las personas pueden ser artistas.

- Me gusta -dijo Margarita.

- A mi no -dijo Elena. No quiero ser artista.

- Pues ya tenemos una respuesta para el futuro -dijo Margarita.

- Es verdad. No quiero ser artista. No quiero ser traductora. No quiero ser astronauta, ni trabajar en política -dijo Elena.

- Bueno, al menos sabes qué cosas no quieres estudiar en el futuro -dijo José, guiñándole un ojo.

La siguiente sección del museo era la zona de las esculturas. Había una réplica pequeña del David, una réplica de la Venus de Milo y todo tipo de esculturas andinas. También estaba la escultura del pensador.

-Ja, ja, ja -empezó a reírse Elena, delante de la estructura.

- ¿De qué te ríes? - preguntó José.

- Es igualito a nosotras -dijo Elena.

- Es un hombre… de piedra - dijo Margarita, confundida.

- Es una persona que está pensando demasiado. Piensa tanto que ya no sabe qué hacer, ja ja

- Es verdad - dijo Margarita.

- Entonces tampoco quieres estudiar una carrera intelectual -dijo José.

- Es verdad -dijo Elena. Fue y se paró al lado de la escultura del David -. Pero esto si me gusta.

- ¿Qué cosa? -preguntó, avergonzada, Margarita.

- Los músculos, la fuerza. Me gustaría estudiar algo relacionado con eso -dijo Elena.

- Educación física, fisioterapia, entrenadora personal -dijo el tío José. Puedes estudiar todas esas carreras.

- Fantástico -dijo contenta Elena.

- ¿Y yo? -preguntó Margarita.

- Veamos en la próxima sección del museo.

Los tres fueron juntos a la sección de fotografía y de arte pop. Había muchísimas fotos: fotos de paisajes, autorretratos, fotos de distintos lugares del mundo, fotos de animales, fotos extrañas con muchísimos colores, fotos de fiestas, fotos de una persona leyendo este texto. Y también había un gran cuadro: era el cuadro de una lata de sopa.

- ¿Un cuadro de una lata de sopa? -preguntó Elena.

- Claro. Es un famoso cuadro -dijo el tío José.

- Me encanta -dijo Margarita.

- ¿Este cuadro? ¿En serio? -preguntó Elena, que a veces no entendía a su amiga para nada.

- Me encanta la comida. Creo que tengo una respuesta para mi futuro.

- Aha… dijo el tío José. ¿Cuál es?

- Bueno, me gustaría hacer una carrera intelectual. Pero también me gustaría estudiar algo relacionado con la comida. Creo que quiero ser chef -exclamó Margarita.

-Gran idea -dijo José, aplaudiendo.

Habían llegado al final de su visita al museo. Las dos estaban contentas y tenían, ahora, algunas ideas para su futuro estudiantil.

El tío José también estaba contento.

Había visto a su sobrina, habían paseado por el museo juntos y también tenía buenas noticias para su futuro. Quizás su sobrina cocinaría riquísimos platos, y quizás la amiga de su sobrina podría ayudarle con los dolores que tenía en los músculos de la espalda.

¡Qué buena idea fue invitarlas al museo!, pensó.

Vocabulario

1. **Futuro** - future
2. **Décadas** - decades
3. **Inventos** - inventions
4. **Civilización** - civilization
5. **Experiencias** - experiences
6. **Reflexiva** - reflective
7. **Museo** - museum
8. **Siqueiros** - siqueiros (name of the museum, remains the same in english)
9. **Director** - director
10. **Bellas artes** - fine arts
11. **Posgrado** - postgraduate
12. **Idiomas** - languages
13. **Colectivo** - bus
14. **Ciudad** - city
15. **Comercial** - commercial
16. **Parques** - parks
17. **Industrial** - industrial
18. **Obras** - works (as in works of art)
19. **Contemporáneo** - contemporary
20. **Escultura** - sculpture

Preguntas

1. ¿Qué tema principal ocupaba la mente de Margarita al inicio de la historia?
2. ¿Cuál fue la actividad que Margarita y Elena decidieron hacer para encontrar respuestas sobre su futuro?
3. ¿Qué había estudiado José, el tío de Margarita?
4. ¿Cómo llegaron Margarita y Elena al museo Siqueiros?
5. ¿Cuál fue la primera sección que Margarita y Elena visitaron en el museo?
6. ¿Qué tipo de arte no comprendían completamente Margarita y Elena en el museo?
7. ¿Qué carrera finalmente decidió estudiar Margarita al final de la historia?

Falso o Verdadero

1. (F) o (V): Elena y Margarita fueron al museo Siqueiros en bicicleta.

2. (F) o (V): El museo Siqueiros se encuentra en el centro de la ciudad.

3. (F) o (V): José, el tío de Margarita, es un artista que expone sus obras en el museo.

4. (F) o (V): La sección de arte clásico del museo tenía solo obras originales.

5. (F) o (V): Margarita y Elena encontraron una pintura de un reloj derretido que las dejó confundidas.

6. (F) o (V): José les dijo que el museo era solo un conjunto de obras del pasado.

7. (F) o (V): En la sección de esculturas, encontraron una réplica del Pensador de Rodin.

8. (F) o (V): Elena se interesó por estudiar una carrera relacionada con la historia del arte.

9. (F) o (V): Margarita decidió estudiar arte después de visitar el museo.

10. (F) o (V): El tío José tenía dolor en los músculos de la espalda al final de la historia.

Respuestas

Preguntas

1. Margarita se preguntaba qué haría cuando terminara el colegio.
2. Decidieron visitar el museo Siqueiros y hablar con José.
3. José había estudiado Bellas Artes, hecho un posgrado en el exterior y aprendido idiomas (inglés, portugués e italiano).
4. Tomaron un colectivo y viajaron una hora.
5. La primera sección que visitaron fue la de arte clásico.
6. No comprendían completamente el arte de vanguardia.
7. Margarita decidió que quería ser chef.

Falso o Verdadero

1. Falso
2. Falso
3. Falso
4. Falso
5. Verdadero
6. Falso
7. Verdadero
8. Falso
9. Falso
10. Verdadero

5. La visita al zoológico

Hay muchísimos animales en el mundo. Tantos animales, tantos tipos, tantas especies, tantos seres vivos que no conocemos.

Conocemos a los animales domésticos, como el gato que tiene la familia Rawson, o el perro de los vecinos, o a las palomas que descansan en los techos de las casas. Pero hay gran cantidad de animales. Y el mejor lugar para conocerlos es su hábitat. El problema es que no todas las personas pueden acceder al hábitat de los animales: se necesita viajar muchísimo. Entonces, los visitan en el zoológico.

Ese viernes, Felipe y todo el grupo de la escuela fueron de visita al zoológico. Era un grupo de cuarenta niños y la directora de la institución. Felipe estaba siempre cerca de sus dos amigos: Malena y Pablo, que eran mellizos, es decir, eran casi igualitos.

Viajaron en transporte escolar y jugaron a un juego nuevo: inventar animales.

- Por ejemplo, el torofante - dijo Felipe -. El torofante es una combinación de toro y elefante. Es grande y muy fuerte. pero le tiene miedo a los ratones, ja ja.

- Por ejemplo, el patoceronte - dijo Malena -. El patoceronte es una mezcla de pato y rinoceronte. Es chiquito, pero tiene la piel muy muy dura. Solo tiene plumas en las alas.

- Por ejemplo, el gatocornio - dijo Pablo. Es un poco un gato y un poco un unicornio. Depende del momento del día.

- Bueno, pero hay un problema - dijo la directora de la escuela, que los estaba escuchando con atención.

- ¿Qué problema? -preguntaron intrigados Malena y Pablo.

- El unicornio es un animal fabuloso. O sea, es un animal que solamente existe en las historias. Pero no se registran unicornios en la historia del mundo real.

- ¿Entonces no hay unicornios en este zoológico? -preguntó Felipe.

- En ningún zoológico del mundo - dijo la directora.

- Ohhh -dijo Pablo, sorprendido.

Estaba preocupado: ¿cuántos animales eran reales y cuáles eran fabulosos? ¿Quién tenía esa respuesta? El zoológico, seguramente.

Todos los niños hicieron fila en la entrada del zoológico y recibieron un ticket. Estaban un poco ansiosos. Empezaron a caminar, ordenadamente, hasta atravesar la puerta de entrada y siguieron en grupo hacia la primera sorpresa de su paseo..

El primer sector era un hermoso sector lleno de árboles y de plantas de todo tipo: era el sector de las aves.

Había pájaros carpinteros, horneros, calandrias, tordos, palomas mensajeras y también avestruces. Pero el ave preferida del grupo era azul casi plateado. Caminaba de un lado al otro y gritaba con un sonido similar a un maullido.

- ¿Qué es eso? - preguntó Pablo.

- Parece que es un pavo real -dijo Malena, leyendo el cartel.

Entonces el pavo abrió todas sus plumas. Era algo fantástico.

- Es un animal fabuloso -gritó Felipe.

- ¿Este animal es real? ¿En serio? -preguntó, asombrado, Pablo.

Malena se acercó al cartel del zoológico y leyó en voz alta:

"El pavo real es originario del sur de Asia y se encuentra por todo el subcontinente indio y en zonas secas de Sri Lanka. Vive en bosques tanto húmedos como secos, pero se adapta a la vida en regiones de cultivos y alrededor de poblaciones humanas, frecuentemente donde hay agua disponible".

- Sus plumas, son muy hermosas -dijo la directora.

- ¿Puedo llevármelo a casa? -preguntó Felipe.

La directora le explicó que no era fácil cuidar a un pavo real y que necesitaba un lugar específico para vivir. Y que el mejor lugar en la ciudad era ese zoológico.

El grupo escolar continuó su camino. La próxima zona era el mundo acuático. Todos los niños presenciaron un show con delfines y con morsas. Fue muy divertido, les gustaba mucho jugar y tenían entrenadores que podían comunicarse con ellos.

Malena, Pablo y Felipe saludaron a los delfines. Cuando terminó el show, miraron algunos peces más. A Malena un anfibio en particular le llamaba la atención.

Lo miró muchísimo tiempo, casi hipnotizada.

Era un poco rosa, un poco blanco, un poco violeta. Caminaba despacio, en una pecera.

- Es hermoso -dijo Malena.

- ¿Qué es eso? -preguntó Pablo, nuevamente sorprendido.

- ¿Es un pez? ¿Un reptil? ¿Un dinosaurio chiquito? -imaginó Felipe.

- Es igual a un peluche que tengo -dijo Malena.

- Es un axolotl - dijo la directora.

- ¿Un qué? - preguntaron los tres al mismo tiempo.

Entonces Malena, que disfrutaba mucho leer, fue hacia el cartel que había cerca de la pecera y leyó.

"El axolotl o ajolote, también llamado monstruo de agua, es una especie de anfibio relacionado con la salamandra tigre. La característica del ajolote que más llama la atención es su capacidad regenerativa. El ajolote no cicatriza y es capaz de regenerar extremidades perdidas enteras en un período de meses, y en ciertos casos, estructuras más vitales, como la cola, los miembros, el sistema nervioso central y tejidos del ojo y el corazón".

- O sea que este animal puede perder una parte de su cuerpo y entonces se recupera solo - dijo, asombrado, Felipe.

- Eso entendí -dijo Pablo.

- Exacto - dijo la directora -. A veces pueden perder partes completas del cuerpo y las regeneran. Es un animal increíble.

- No puedo creerlo -dijo Pablo.

- Está lleno de animales increíbles - dijo Malena.

- Sí, muchos más de los que conocemos -dijo la directora.

Los tres amigos continuaron su paseo totalmente asombrados. Miraban para un lado y para otro, boquiabiertos. La siguiente zona que visitaron fue la zona de los animales salvajes. En esa zona tenían que moverse con cuidado y respetar todas las reglas.

Había gorilas, monos tití, chimpancés. Había un increíble leopardo, dos tigres, una pantera, había un enorme elefante, tres cebras, un rinoceronte y dos hipopótamos. Malena, Pablo y Felipe buscaban a un animal en especial: el rey de la selva, el gran león.

Estaba en una cueva, larga y oscura. Pero permanecía escondido.

- León, león -gritó Felipe.

- Rey León -gritaron Malena y Pablo.

Pero el león no salió. La directora les explicó que era un león viejo, que no se sentía cómodo con el zoológico. Y que lo iban a trasladar a su habitat original.

- ¿Y eso? -dijo Felipe, levantando la cabeza.

Entre los árboles, había un animal con un cuello larguísimo, tan largo que los tres niños podían treparse por él.

- Eso es una jirafa -dijo la directora -. Tienen ese cuello largo para poder comer su comida preferida: hojas de los árboles.

Malena, que era fanática de leer carteles, miró el cartel y lo leyó en voz alta:

"La jirafa es la más alta de todas las especies de animales terrestres existentes, ya que puede alcanzar una altura máxima de 5,7 m y un peso que varía entre 750 y 1600 kg".

Pablo se cruzó de brazos y fue caminando hacia la directora de la escuela.

- No entiendo -le dijo, algo molesto.

- ¿Qué cosa? - preguntó la directora.

- Todos los animales… son animales fabulosos…

- Sí, Pablo, exactamente -dijo la directora.

- Son increíbles. Más grandes que mi imaginación -dijo Pablo.

- Y hay millones en el mundo -dijo la directora.

- Entonces… ¿está cien por ciento segura que no existen unicornios? - preguntó Pablo.

La directora se río y le explicó que había animales mitológicos, animales que personas en otras épocas habían imaginado. Y que la imaginación era tan grande como la realidad. Pero que muchos animales de la imaginación no existían.

- Como el patoceronte -dijo, recordando al animal que habían inventado los niños.

Después todos regresaron a la escuela, asombrados con ese viaje.

Esa noche Felipe cerró los ojos y se durmió rápidamente. Soñó que estaba en la selva, arriba de un león. Tenía un axolotl en la mano. Un axolotl del tamaño de un corazón.

Soltaba al axolotl en la selva y se despedía del león.

- Gracias por ser tan hermosos -decía, liberándolos.

Vocabulario

1. **Animales** - animals
2. **Gato** - cat
3. **Perro** - dog
4. **Palomas** - pigeons
5. **Hábitat** - habitat
6. **Zoológico** - zoo
7. **Viernes** - friday
8. **Escuela** - school
9. **Mellizos** - twins
10. **Transporte** - transportation
11. **Torofante** - a made-up animal (toro [bull] + elefante [elephant])
12. **Patoceronte** - a made-up animal (pato [duck] + rinoceronte [rhinoceros])
13. **Gatocornio** - a made-up animal (gato [cat] + unicornio [unicorn])
14. **Fabuloso** - fabulous
15. **Ticket** - ticket
16. **Árbol** - tree
17. **Pavo real** - peacock
18. **Axolotl** - axolotl
19. **Anfibio** - amphibian
20. **Selva** - jungle/selva

Preguntas

1. ¿Cuál es el lugar preferido para conocer animales que no pueden ser visitados en su hábitat?
2. ¿Con quiénes fue Felipe al zoológico?
3. ¿Qué juego jugaron Felipe y sus amigos en el transporte escolar?
4. ¿Qué animal fabuloso mencionaron los niños que no se encuentra en los zoológicos?
5. ¿Qué ave fue la preferida del grupo en el zoológico?
6. ¿Qué animal acuático especial llamó la atención de Malena en el zoológico?
7. ¿Qué animal salvaje querían ver especialmente Malena, Pablo y Felipe en el zoológico?

Falso o Verdadero

1. (F) o (V): La familia Rawson tiene un pez como mascota.

2. (F) o (V): En el zoológico, el grupo escolar vio una exhibición de osos polares.

3. (F) o (V): Malena y Pablo son hermanos gemelos.

4. (F) o (V): Felipe inventó un animal llamado gatocornio durante el viaje al zoológico.

5. (F) o (V): La directora de la escuela confirmó la existencia de unicornios.

6. (F) o (V): En el sector de las aves del zoológico, había flamencos.

7. (F) o (V): Los niños quedaron impresionados con un pavo real que tenía plumas de color azul casi plateado.

8. (F) o (V): El ajolote es conocido por su incapacidad para regenerar partes del cuerpo.

9. (F) o (V): En la zona de animales salvajes, los niños vieron un panda.

10. (F) o (V): El león del zoológico era joven y activo.

Respuestas

Preguntas

1. El zoológico es el lugar preferido para conocer animales que no pueden ser visitados en su hábitat.
2. Felipe fue al zoológico con un grupo de cuarenta niños de su escuela, incluyendo a sus amigos Malena y Pablo, que son mellizos.
3. Jugaron a inventar animales durante el viaje en transporte escolar.
4. Mencionaron al unicornio, un animal fabuloso que no existe en la realidad y por lo tanto, no está en los zoológicos.
5. El ave preferida del grupo fue un pavo real azul casi plateado.
6. El animal acuático que llamó la atención de Malena fue un axolotl.
7. Querían ver especialmente al león, el rey de la selva.

Falso o Verdadero

1. Falso
2. Falso
3. Falso
4. Verdadero
5. Falso
6. Falso
7. Verdadero
8. Falso
9. Falso
10. Falso

6. La noche en el campamento

Hay muchos momentos aptos para contar y escuchar historias. Uno de esos momentos en junto a la familia, en Navidad, o Año nuevo: historias de familiares lejanos, historias de divertidos accidentes de familia y de regalos navideños. Hay también otros momentos especiales: las reuniones casuales y, principalmente, los campamentos. Los campamentos son un gran lugar para contar historias, principalmente durante la noche, en la oscuridad, el silencio y al lado de una fogata, con amigos.

Ese fue el objetivo del campamento de sábado a la noche de Margarita, Elena y Nico: contar historias y divertirse una noche, lejos de casa y de las actividades cotidianas. Cada uno podía contar muchas historias: historias de romance, de terror, de suspenso, chismes de barrio, historias que escucharon en boca de otra persona.

La primera historia la contó Elena.

Era una historia con aviones y primeros amores. Elena siempre tenía muchos novios, era fanática de las relaciones de pareja. La historia de Elena decía así:

"Mi primer amor fue a los quince años. En realidad, mi primer y mi segundo amor. La historia es así. Conocí a un chico muy simpático. Un colombiano. Nos conocimos por internet. Éramos fans de un famoso youtuber. Comentábamos sus videos, con comentarios muy divertidos. A mí me gustaban las sesiones del youtuber, a él le gustaban mucho los artistas. Nuestros comentarios eran muy graciosos. ¡Al youtuber le gustaron algunos! Después intercambiamos mensajes con mi "amigo colombiano". Unos meses después, nos escribíamos todos los días mensajes. Al principio eran mensajes sobre música. Después eran mensajes sobre nuestras vidas. Después sobre las cosas que nos gustaban y las cosas que no nos gustaban. Y en un momento me di cuenta que pensaba todo el tiempo en él: en el colegio, en mi trabajo en el supermercado, en las fiestas, en cada reunión. ¡Siempre estaba esperando sus mensajes! Tenía que aceptarlo: estaba completamente enamorada de él. Para las vacaciones de enero, él decidió viajar con su familia a mi ciudad, por unas vacaciones. El plan era encontrarnos. Estuve ansiosa durante semanas. ¡Casi no podía comer de los nervios! Entonces llegó el día. Lo recuerdo perfectamente: la mañana del 12 de enero. Fui al aeropuerto en taxi. Me senté tranquila, y miré la llegada del vuelo 706, proveniente de Bogotá. Tenía varias fotos del chico colombiano: él tenía rulos, era alto y moreno y tenía una gran sonrisa luminosa. Bueno: parece que el avión tuvo un pequeño percance. Entonces el cartel decía que el avión arribaba una hora más tarde. En algún momento cerré los ojos. En algún momento me quedé dormida. Cuando abrí los ojos, un hermoso chico de rulos, con acento colombiano, estaba delante de mí. Pero no me saludó. Hola, le dije. Él seguía caminando, yéndose del aeropuerto. Corrí detrás de él. ¿No me vas a saludar?, le pregunté. Era tan hermoso y sentí tanto amor que seguí mis instintos. Lo abracé fuerte y le di la mano. Salimos juntos del aeropuerto. Estaba completamente enamorada… del chico incorrecto. Porque este chico no era mi chico colombiano. Era otro, muy parecido. Este chico tenía unos increíbles ojos verdes, pero no tenía la sonrisa de mi primer amor. Pasamos un gran verano juntos. En un momento fuimos a una fiesta. ¿Y adivinen a quién encontré? Al chico colombiano número 1. Estaba con una chica muy parecida a mí. Nos reímos todos juntos y disfrutamos muchísimo esa fiesta”.

Margarita y Nico se rieron. Era una historia divertida, muy típica de Elena, que cambiaba de novio constantemente.

La noche en el campamento era perfecta. Podían verse todas las estrellas. Margarita señaló una de las estrellas. Y explicó que ella no tenía historias propias muy divertidas. Pero conocía las historias de las constelaciones. Señaló una, y comenzó la historia:

“Esa constelación son las alas de Ícaro. Ícaro era un chico griego, hijo de un gran arquitecto llamado Dédalo. Dédalo había construido el mejor laberinto de Grecia, para atrapar a un monstruo. Pero esa es otra historia. En esta historia Dédalo, que es un gran inventor, crea unas alas para poder volar. Unas alas perfectas, que todos los griegos admiraban. Su hijo, Ícaro, pide usar las alas. Dédalo le dice que las use tranquilo, que disfrute de volar. Pero, con una condición: que no vuele cerca del sol. El sol, le dice el padre a Ícaro, puede derretir las alas. Entonces Ícarose coloca las alas y es el primer griego en volar. Vuela por la ciudad, vuela por su barrio, vuela por arriba del laberinto. Y en un momento, mira hacia el cielo, y piensa que quiere volar más alto, más y más alto. Ícaro vuela hacia el cielo, vuela hacia las estrellas, vuela hacia las nubes y se acerca al sol. ¡Error! El sol derrite las alas de Ícaro y,,, bueno, él cae hacia el mar… y nunca más puede volar…"

- Ay, qué final triste -dijo Elena.

- Es un final con moraleja -dijo Nico.

- ¿Cuál es la moraleja? ¿No animarte a romper los límites? -preguntó, irónica, Elena.

- Probablemente la moraleja es que hay que escuchar los consejos de las personas mayores -dijo Nico.

- Puede ser -dijo Elena.

- Eso sí. No sabía que los griegos imaginaban historias de terror -dijo Nico.

En el silencio y la oscuridad de la noche, los tres amigos lanzaron un poco de madera a su fogata. Se abrigaron con pullovers y frazadas. Y estaban listos para escuchar otra historia.

Era el momento de Nico. Esta es la historia que contó:

"Esta es la historia de un accidente muy tonto. Es un accidente que tuve a los diez años. Estaba con un amigo, jugando en el patio de casa. Inventábamos juegos, pero éramos un poco inquietos. Quizás éramos demasiado creativos. O demasiado inocentes. Nos gustaba el juego de lanzar palomitas de maíz al aire y atraparlas con la boca. Pero no teníamos palomitas de maíz. Entonces… bueno, buscamos y encontramos una pequeña moneda. Tuvimos la magnífica idea de usar esa moneda para atraparla con nuestras bocas. Primero intentó mi amigo, pero fallaba. Intentó tres veces, pero no lo logró. Entonces lancé la moneda al aire, muy alto, incliné mi cuello, abrí grande la boca y… atrapé la moneda. El problema es que tragué la moneda directamente. Y esta quedó atrapada en mi cuello. Perdí la respiración durante unos segundos y luego, afortunadamente, intenté tragarla. Fue casi una tragedia. Desde ese momento tengo una moneda en mi estómago. El médico dijo que seguramente la moneda había salido cuando fui al baño. Pero para mí la moneda sigue ahí. Y es un recuerdo y un símbolo".

- ¿Símbolo de qué cosa? -preguntó Margarita.

- Un símbolo de que hay ideas muy buenas e ideas malas, je -dijo Nico.

- Y también un símbolo de que eres una persona muy valiosa. ¡Tienes dinero en tu estómago! -dijo, riéndose, Elena.

Después de esa historia, los tres amigos fueron a dormir. Cada uno pensó en la historia del otro. ¿Dónde estará el primer amor de Elena?, se preguntó Margarita. ¿El padre de Ícaro nunca usó las alas?, se preguntó Nico. ¿Cuánto tiempo puede estar una moneda dentro del estómago?, se preguntó Elena.

La noche fue creciendo. Las horas pasaron. Y los tres se durmieron, en una gran noche de historias, de alas, colombianos y monedas.

Vocabulario

1. **Momentos** - moments
2. **Familia** - family
3. **Navidad** - christmas
4. **Año nuevo** - new year
5. **Campamentos** - camps/camping
6. **Fogata** - campfire
7. **Historias** - stories
8. **Romance** - romance
9. **Terror** - terror/horror
10. **Chismes** - gossip
11. **Aviones** - airplanes
12. **Youtuber** - youtuber (remains the same in english)
13. **Artistas** - artists
14. **Aeropuerto** - airport
15. **Taxi** - taxi (remains the same in english)
16. **Colombiano** - colombian
17. **Supermercado** - supermarket
18. **Constelaciones** - constellations
19. **Ícaro** - icarus
20. **Dédalo** - daedalus

Preguntas

1. ¿Qué tipo de historias se suelen contar en Navidad y Año Nuevo según la historia?
2. ¿Cuál era el objetivo del campamento de Margarita, Elena y Nico?
3. ¿De qué trataba la primera historia contada por Elena?
4. ¿Qué importante lección transmite la historia de la constelación de Ícaro?
5. ¿Qué accidente tonto relató Nico en su historia?
6. ¿Qué juego estaban jugando Nico y su amigo cuando tuvo el accidente?
7. ¿Qué símbolo representaba la moneda para Nico?

Falso o Verdadero

1. (F) o (V): Elena conoció a su primer amor personalmente antes de que él viajara a su ciudad.
2. (F) o (V): Nico y sus amigos jugaban con palomitas de maíz en lugar de una moneda.
3. (F) o (V): Margarita contó una historia sobre su propia experiencia de vida.
4. (F) o (V): La historia de Elena terminó con ella enamorándose del chico colombiano correcto.
5. (F) o (V): Nico todavía cree que tiene la moneda en su estómago.
6. (F) o (V): Durante el campamento, se observó un eclipse lunar.
7. (F) o (V): La historia de Ícaro fue contada por Elena.
8. (F) o (V): El campamento se realizó un sábado por la noche.
9. (F) o (V): La historia de Nico ocurrió cuando tenía cinco años.
10. (F) o (V): Margarita, Elena y Nico decidieron no dormir para contar más historias.

Respuestas

Preguntas

1. Las historias de Navidad y Año Nuevo suelen ser sobre familiares lejanos, divertidos accidentes de familia y regalos navideños.
2. El objetivo del campamento era contar historias y divertirse una noche, lejos de casa y de las actividades cotidianas.
3. La historia de Elena era sobre aviones, primeros amores y un encuentro con un chico colombiano en el aeropuerto.
4. La historia de Ícaro transmite la lección de que hay que escuchar los consejos de las personas mayores y no desafiar los límites imprudentemente.
5. Nico contó un accidente donde tragó una moneda mientras jugaba con un amigo.
6. Estaban jugando a lanzar palomitas de maíz al aire y atraparlas con la boca, pero usaron una moneda en lugar de palomitas.
7. La moneda era un símbolo para Nico de que hay ideas muy buenas e ideas malas.

Falso o Verdadero

1. Falso
2. Falso
3. Falso
4. Falso
5. Verdadero
6. Falso
7. Falso
8. Verdadero
9. Falso
10. Falso

7. El partido de fútbol

Hay muchísimos deportes en el mundo. Deportes de equipo, deportes individuales, deportes de fuerza, deportes de resistencia, deportes de inteligencia, deportes que requieren más o menos suerte.

Probablemente el deporte más famoso del mundo tenga como protagonista a un balón y a veintidós jugadores en una cancha. Esa cancha tiene dos arcos. Cada equipo tiene un arquero, defensores, centrocampistas, delanteros, un capitán y, además, un director técnico. En el medio de ambos, hay un árbitro y dos jueces de línea. Este deporte es el fútbol y es conocido en todos los continentes y países. Hay gente que ama el fútbol. Y solo un puñado de gente que no le gusta o no lo conoce.

Entre la gente que ama el fútbol está Margarita, la adolescente de la familia Rawson. Ella mira partidos de ligas latinoamericanas y europeas todos los fines de semana. De las ligas latinoamericanas, su favorita es el torneo argentino. De las ligas europeas, su preferida es la premier league.

En la infancia, Margarita incluso fue jugadora de fútbol.

En cambio, papá Marco ama todos los deportes, pero no entiende absolutamente nada de fútbol.

Margarita tenía entradas para ver un partido, pero sus amigos Nico y Elena estaban ocupados. ¿Con quién ir a mirar el partido?, piensa. Y entonces mira a su padre Marco, sentado delante del televisor.

- Papá, ¿tienes algo que hacer esta tarde? -pregunta.

- ¿Algo como qué? -pregunta Marco.

- ¿Tienes trabajo? -pregunta Margarita.

- No, hoy es domingo, hija -dice Marco.

- ¿Hay algo que quieres mirar en la televisión?

- ¿Hoy? No, los partidos de básquet son a la noche. Y la temporada de béisbol y de fútbol americano comienza en dos meses.

- Entonces estás libre -dice Margarita -. ¿Quieres acompañarme a ver un partido a la cancha?

- Me encanta -dice Marco -. ¿Partido de qué?

- Em... fútbol -confiesa Margarita.

- Oh... no entiendo el soccer... fútbol, como la mayoría le dice. Pero puedo acompañarte.

- Perfecto -dice Margarita.

Así que fueron hacia el estadio.

El equipo de la ciudad se llamaba "Deportivo Azules" y estaba en una de sus mejores temporadas. Margarita y Marco llegaron en auto al estadio. Margarita le explicó a su padre algunas cosas: que el equipo tenía que ganar sí o sí este partido para continuar con posibilidades, que el mejor jugador del equipo era un chico extraño, que a veces podía permanecer quieto casi todo el partido, y que el director técnico del equipo era un hombre muy gritón.

- Suena divertido - dijo Marco.

- Depende - digo Margarita.

El equipo rival era el equipo del Ferrocarril Libertad, un equipo de la ciudad vecina, que tenía muchísima suerte y una defensa difícil de superar. Solo había recibido cinco goles en veinte partidos. El mejor jugador era el defensor central, un chico alto y fornido, de familia alemana. Estaba todo el tiempo enojado, dando instrucciones y era famoso porque era casi imposible de esquivar.

El partido comenzó tranquilo, sin demasiadas sorpresas. Los dos equipos estudiaban a su contrincante y esperaban. Demasiados pases simples, de un lado al otro de la cancha. Ningún ataque, ninguna sorpresa. Marco bostezó.

- Por eso no me gusta el fútbol -dijo -. Es muy lento, no ocurre nada por mucho tiempo.

- Hay que esperar un poco, paciencia - dijo Margarita.

- En el fútbol americano cada jugada es valiosa y necesita preparación Cada jugada tiene adrenalina -dijo, entusiasmado Marco.

- Bueno, pero esto es fútbol, no fútbol americano.

- En el básquet, cada jugada tiene velocidad y muchas veces un final sorpresivo y espectacular. Se anotan muchísimos puntos en un partido de básquet -dijo Marco.

- Bueno, pero en el básquet los jugadores pueden usar las manos. Aquí no -dijo Margarita.

Marco se cruzó de brazos y esperó, impaciente.

- En el béisbol, el desarrollo del juego también es lento, pero cuando aparecen las grandes estrellas pueden lanzar la bola lejos, muy muy lejos.

- Tranquilo, que en el fútbol también ocurren cosas maravillosas -dijo Margarita -. El mejor jugador del mundo, de hecho, es futbolista y puede hacer cosas increíbles. Tendrías que mirar videos de él. Te enamorarías del fútbol inmediatamente.

- Bueno -dijo Marco -. Volvamos a casa entonces. Y busco videos de ese jugador.

- Atención, mira ahora -dijo entonces Margarita, señalándole la cancha.

El primer tiempo del partido estaba llegando a su final.

Por el momento, el resultado era cero a cero. El mejor jugador del Deportivo Azules caminaba muy tranquilo de un lado para el otro de la cancha. Parecía estar paseando, distraído. Entonces el balón fue hacia sus pies, como un milagro. Y el mejor jugador del Deportivo Azules empezó a esquivar a jugadores del equipo contrario: uno, dos, tres defensores. Luego se enfrentó al defensor central, que con su cuerpo enorme se colocó delante de él. El mejor jugador del Deportivo Azules sonrió y tiró el balón entre las piernas del defensor central. Corrió más rápido, recuperó el balón y pateó al arco. ¡Gol del Deportivo Azules!

- Eso fue increíble - dijo Marco.

- Te dije - dijo, sonriente, Margarita.

- ¿Cómo se llama eso que hizo? -preguntó curioso Marco.

- Se llama "Gol" -dijo Margarita, sorprendida ante la ignorancia de su padre.

- Me refiero a toda la jugada anterior. Lo que ocurrió antes -dijo Marco.

- Ahhh. Cuando pasas la pelota entre las piernas de un contrario, se llama "túnel" o "sotana" -explicó Margarita -. Y la acción de esquivar jugadores se llama "finta" o también "amague" o también "dribble".

- Wow -dijo Marco, sorprendido -. ¿Qué otras jugadas hay?

- Muchísimas -dijo Margarita -. La pared, la chilena, là rabona, el taco, el loco, la mano de dios, el tiro de tres dedos, el tiro libre, el tiro de esquina, los penales, el escorpión. Y tantísimas más.

- ¿Tantas jugadas? Me encanta -dijo Marco.

-Shhh, atención que comienza el segundo tiempo -dijo Margarita.

El segundo tiempo del partido de fútbol comenzó. El equipo de Ferrocarril Libertad atacaba por los costados, cada vez con más jugadores. El defensor central fue al ataque en varias ocasiones. Uno de sus cabezazos dio en el poste, otro fue atajado por el arquero de Deportivo Azules.

Y entonces, en la última jugada, el mejor jugador del Deportivo Azules volvió a hacer una gran jugada. Estaba en un rincón de la cancha, atándose los cordones. Miraba, distraído, hacia la tribuna y saludaba a una mujer.

Otra vez el balón fue por casualidad a sus pies. El jugador pareció activarse. Esquivó a un rival, luego esquivó a otro, lanzó un pase largo y corrió para recibir el balón de vuelta. Enfrentó al defensor central y lo esquivó con una gran facilidad, y luego esquivó también al arquero, lanzando el balón por arriba de él. Fue un golazo.

- Golazo - gritó Margarita.

- Asombroso -dijo Marco. ¿Ese chico siempre juega así?

- Sí -explicó Margarita. Es admirador del mejor jugador del mundo y aprendió esa técnica especial observándolo.

- ¿Qué técnica? -preguntó Marco.

- Pasar desapercibido por varios minutos. Y entonces, de repente, atacar con velocidad y precisión.

- Se necesita mucha habilidad para hacer eso -dijo Marco.

- Exacto. Por eso me gusta el fútbol. Es muy calmo y de pronto todo cambia -concluyó Margarita.

El resultado final fue 2-1 para Deportivo Azules. Marco era el nuevo fan del equipo.

- ¿El próximo domingo tenemos partido? -preguntó.

- Por supuesto -dijo contenta Margarita. Ahora podría compartir su pasión por el fútbol con su padre.

- También podemos mirar videos toda la semana -dijo entonces Margarita.

- Tranquila, hija -dijo Marco -. Recuerda que también debo trabajar, je je. Debo ser como ese jugador. Mucho tiempo trabajando, y de repente, velocidad y precisión para ir a mirar un nuevo partido contigo -dijo, sonriendo.

Vocabulario

1. **Deportes** - sports
2. **Equipo** - team
3. **Fuerza** - strength
4. **Resistencia** - endurance
5. **Inteligencia** - intelligence
6. **Balón** - ball
7. **Cancha** - field/pitch
8. **Arquero** - goalkeeper
9. **Defensores** - defenders
10. **Centrocampistas** - midfielders
11. **Delanteros** - forwards
12. **Capitán** - captain
13. **Técnico** - coach/manager
14. **Árbitro** - referee
15. **Jueces** - judges/linesmen
16. **Fútbol** - soccer/football
17. **Liga** - league
18. **Partidos** - matches/games
19. **Jornadas** - rounds (in sports context)
20. **Jugadora** - player (female)

Preguntas

1. ¿Cuál es probablemente el deporte más famoso del mundo según la historia?
2. ¿Qué ligas de fútbol prefiere Margarita?
3. ¿Qué deportes le gustan a papá Marco?
4. ¿Cómo se llama el equipo de fútbol de la ciudad de Margarita y Marco?
5. ¿Qué técnica utiliza el mejor jugador del Deportivo Azules durante el partido?
6. ¿Cuál fue el resultado final del partido entre Deportivo Azules y Ferrocarril Libertad?
7. ¿Qué planean hacer Margarita y Marco el próximo domingo según la historia?

Falso o Verdadero

1. (F) o (V): Margarita jugaba al baloncesto en su infancia.

2. (F) o (V): El equipo "Deportivo Azules" estaba teniendo una de sus peores temporadas.

3. (F) o (V): El director técnico del equipo "Deportivo Azules" era conocido por ser muy tranquilo.

4. (F) o (V): El defensor central del equipo rival era de familia italiana.

5. (F) o (V): Durante el partido, se anotaron muchos goles en el primer tiempo.

6. (F) o (V): Marco prefería ver partidos de fútbol americano y béisbol.

7. (F) o (V): Margarita invitó a Nico y Elena al partido, pero ellos no pudieron ir.

8. (F) o (V): El partido terminó con un empate.

9. (F) o (V): Marco quedó impresionado con el juego del mejor jugador del mundo después de ver el partido.

10. (F) o (V): Margarita y Marco decidieron ir a ver un partido de básquet el próximo domingo.

Respuestas

Preguntas

1. El deporte más famoso del mundo es el fútbol, jugado con un balón por veintidós jugadores en una cancha.
2. Margarita prefiere el torneo argentino de las ligas latinoamericanas y la premier league de las ligas europeas.
3. A papá Marco le encantan todos los deportes, pero no entiende nada de fútbol.
4. El equipo de la ciudad se llama "Deportivo Azules".
5. El mejor jugador del Deportivo Azules utiliza la técnica de pasar desapercibido y luego atacar con velocidad y precisión.
6. El resultado final fue 2-1 a favor del Deportivo Azules.
7. Margarita y Marco planean ir a ver otro partido de fútbol el próximo domingo y también ver videos de fútbol durante la semana.

Falso o Verdadero

1. Falso
2. Falso
3. Falso
4. Falso
5. Falso
6. Verdadero
7. Verdadero
8. Falso
9. Falso
10. Falso

8. El día de escuela

Qué día especial es el primer día de clases, después de unas vacaciones. Todos tenemos recuerdos del regreso a la escuela: los nuevos maestros, los nuevos compañeros, las nuevas aulas, el cuaderno blanco, la ansiedad por empezar, los lápices y lapiceras en las manos. Después de unas lindas vacaciones, era el momento de regresar a clases para Felipe. Pasaba a tercer grado. Ana llevó a su hijo en auto, hacia la escuela.

- ¿Voy a aprender sobre constelaciones? -preguntó Felipe.

- Quizás -respondió, sonriendo, Ana.

- ¿Voy a aprender a conducir? -preguntó Felipe.

- No, eso es algo que aprendes cuando eres mayor -dijo Ana.

- Pero ya soy mayor.

- Mayor de dieciocho años -explicó Ana.

- Ufa. ¿Voy a aprender sobre viajes?

- Seguramente, aprenderás algo de geografía -dijo Ana.

- ¿Geografía? ¿Qué es eso? -preguntó, ansioso, Felipe.

- Vas a conocer distintos lugares del mundo y de nuestro país -dijo Ana.

- Me encanta -dijo Felipe, aplaudiendo.

Llegaron a la escuela. Había grupos de niños en la entrada, padres junto a esos niños: todos estaban entrando a la escuela.

Entre esos niños estaban José y Sofía, dos amigos de Felipe. José era increíblemente inteligente, podía hablar otro idioma y era un gran jugador de ajedrez. Sofía era una chica muy habladora, que leía mucho y miraba películas fantásticas. Imaginaba cosas todo el tiempo.

Los tres niños se saludaron. Despidieron a sus padres con un saludo y entraron al aula.

Eligieron sus bancos preferidos y se sentaron. Estaban inquietos por comenzar la clase.

La nueva maestra entró en el aula. Era una mujer alta, un poco pálida, con las uñas pintadas de rojo y una guitarra en uno de sus brazos.

- Hola, soy su maestra. Me gusta mucho enseñar -dijo.

Los tres amigos miraron fijamente a la maestra, al pizarrón y a la guitarra. Sofía levantó la mano. Las dos manos.

- ¿Sí? ¿Señorita… em? -preguntó la maestra.

- Sofía -dijo Sofía.

- Sofía. ¿Cuál es la pregunta?

- Esa guitarra -dijo Sofía -. ¿Qué significa? -preguntó.

- Muy atenta, señorita Sofía. Es una gran pregunta. Todas las vacaciones aprendo algo nuevo. Y estas vacaciones aprendí a tocar la guitarra.

- Toque una canción, toque una canción - gritaron los niños.

- Al final de la semana, si se portan bien -dijo la maestra -. Ahora, momento de las preguntas. ¿Qué aprendieron ustedes en vacaciones?

- Aprendí la defensa holandesa -dijo, orgulloso, José-. Es una defensa en ajedrez, con las piezas negras. Muy sólida -explicó.

- Yo aprendí el nombre de todos los actores y actrices de mi serie preferida -dijo Sofía -. Y también leí libros sobre elfos, hobbits y el combate por el anillo.

- Wow -dijo la maestra -. ¿Y tú? -preguntó, señalando a Felipe.

- Aprendí muchos juegos nuevos. Trabalenguas, adivinanzas, juegos de inteligencia, el juego de la sombra, el de la silla, el de las palabras. Aprendía un juego por semana.

- Increíble -dijo la maestra -. ¿Cómo es el juego de las palabras?

- Fácil. Yo tengo que dar una definición y ustedes adivinar la palabra - explicó Felipe.

- Juguemos un poco, es útil para comenzar las lecciones de lengua -dijo la maestra.

- Empiezo yo entonces -dijo Felipe -. Adivinanza: es algo que puede aparecer al principio o al final de una oración. Cuando quiero expresar entusiasmo o sorpresa o que estoy gritando.

- Yo, yo, yo -dijo Sofía.

- ¿Sofía?, ¿la respuesta es? -preguntó la maestra.

- El signo de exclamación -dijo Sofía.

- Exacto -dijo la maestra. Y recuerden que en español usamos el signo de exclamación al principio y al final de la frase. En inglés es distinto, solo es utilizado el signo final.

- Mi turno -dijo José.

- Bueno -dijo la profesora -. Pero palabras relacionadas con el lenguaje. No palabras relacionadas con ajedrez, eh.

- Por supuesto -afirmó José -. Adivinanza: mi palabra está relacionada con un símbolo que usamos para indicar que una palabra tiene un sonido más fuerte en un lugar. Usamos ese símbolo respetando algunas reglas gramaticales muy complejas que todavía no entiendo.

- Yo, yo, yo -dijo Sofía.

- ¿Sofía, la respuesta es? -preguntó la maestra.

- La tilde-dijo Sofía.

- Muy bien -dijo la maestra -. La diferencia entre el acento y la tilde es que la tilde está en la palabra y tenemos que marcarla con un símbolo gráfico. El acento es simplemente el sonido más fuerte que una palabra tiene en una sílaba. Para entender qué palabras tienen acento y qué palabras no, tendremos las próximas clases.

- Nos encanta - gritaron los niños.

- Bueno, tu turno -dijo la maestra, señalando a Sofía.

-Es difícil, eh, atentos -dijo la niña -. Adivinanza: es un símbolo que se utiliza para enviar mails y para las casillas de correo. Tiene una forma especial.

- ¿Eh? -dijo Felipe, confundido.

- Yo no tengo mail - dijo José.

- ¿Cuál es la respuesta, Sofía? -preguntó la maestra.

- El arroba - explicó Sofía.

- Sofía, ¿puedes pasar al pizarrón y enseñarnos cómo es ese símbolo? - preguntó la maestra.

Así que Sofía fue hacia el frente de la clase y dibujó el símbolo del arroba en la pizarra. Luego se dio vuelta para volver a su banco. Pero la maestra tenía otros planes.

- Sofía, ya que estamos acá. ¿Puedes practicar la escritura y describir cómo es este día?

- Obvio -dijo, orgullosa, Sofía.

Sofía fue hacia la pizarra y escribió: "Hoy es un hermoso día soleado en la ciudad. Hay un poquito de viento fresco, y la temperatura es de veinte grados. El pronóstico indica que no hay posibilidad de lluvias y que por la noche refrescará levemente".

- Wow -dijo la maestra -. Eres asombrosa.

- Es fanática de los pronósticos del clima -dijeron los niños.

Sofía sonrió y permaneció en el pizarrón, esperando indicaciones.

- Sofía, elige a uno de tus compañeros para la próxima tarea -dijo la maestra.

- Elijo a José -dijo Sofía, señalando a su amigo.

José fue hacia el pizarrón. Se acomodó las gafas y recibió un fibrón.

- José, voy a dictar algunas palabras difíciles, tienes que escribirlas en la pizarra, ¿si? - dijo la maestra.

- No hay palabras difíciles para mí -dijo, orgulloso, José.

Entonces la maestra fue dictando una serie de palabras. José las escribió todas correctamente. Sabía muchísimo de gramática y reglas de ortografía. Aunque no conocía el significado de ninguna de las palabras.

Las palabras eran. "Serendipia, estrepitoso, quehaceres, sinécdoque, estupefacción, celestial, zaparrastroso, querendón y sinvergüenza".

- Felipe, a ti te gustan mucho las palabras, ¿verdad? -preguntó la maestra.

- Sí, me encantan -dijo Felipe.

- ¿Puedes elegir dos y decirnos su significado?

- Por supuesto -dijo Felipe, y se quedó observando atentamente las palabras.

- Bueno, ¿cuáles eliges? -dijo la maestra.

Felipe eligió la palabra serendipia. Explicó que era una de sus palabras preferidas. Y que significaba encontrar algo cuando estabas buscando otra cosa. Y después eligió quehaceres, porque era una palabra complicada con un significado muy simple: tareas.

La maestra aplaudió a los niños, contenta con la clase.

Continuó ese día con lecciones sobre matemáticas y sobre la vegetación de la ciudad.

Al terminar la clase, los niños salieron a buscar a sus familias. Había sido un gran primer día.

-¿Qué tal la clase? -preguntó papá Marco, de la mano de su hijo.

- Tuvimos muchísimos quehaceres y viví una gran serendipia -dijo Felipe, sonriéndole.

Marco no entendió nada de lo que decía su hijo. Era un chico tan especial, que aprendía palabras nuevas todo el tiempo. Seguramente él mismo necesitaba estudiar un poco más y aprender nuevas expresiones. Claro que sí.

Vocabulario

1. **Clases** - classes
2. **Vacaciones** - vacations
3. **Maestros** - teachers
4. **Compañeros** - classmates
5. **Aulas** - classrooms
6. **Cuaderno** - notebook
7. **Ansiedad** - anxiety
8. **Lapiceras** - pens
9. **Grado** - grade
10. **Constelaciones** - constellations
11. **Conducir** - drive
12. **Geografía** - geography
13. **Escuela** - school
14. **Inteligente** - intelligent
15. **Ajedrez** - chess
16. **Habladora** - talkative
17. **Películas** - movies
18. **Guitarra** - guitar
19. **Preguntas** - questions
20. **Pronóstico** - forecast

Preguntas

1. ¿En qué grado pasó Felipe después de sus vacaciones?
2. ¿Quiénes son los amigos de Felipe mencionados en la historia?
3. ¿Qué especialidad tiene José entre sus amigos?
4. ¿Qué aprendió Sofía durante las vacaciones?
5. ¿Qué instrumento musical trajo la nueva maestra a la clase?
6. ¿Cuál fue el primer juego que jugaron en la clase de lengua?
7. ¿Qué palabra eligió Felipe para explicar su significado?

Falso o Verdadero

1. (F) o (V): Felipe tenía miedo de regresar a la escuela después de las vacaciones.

2. (F) o (V): Ana, la madre de Felipe, lo llevó a la escuela en bicicleta.

3. (F) o (V): Felipe estaba interesado en aprender matemáticas en la escuela.

4. (F) o (V): Sofía es conocida por su habilidad en los deportes.

5. (F) o (V): La nueva maestra de Felipe tocó la guitarra en el primer día de clases.

6. (F) o (V): José habló sobre una técnica de ajedrez llamada "defensa holandesa".

7. (F) o (V): Sofía fue quien sugirió jugar al juego de adivinar palabras.

8. (F) o (V): La maestra les pidió a los estudiantes que hablaran sobre lo que aprendieron en ciencias durante las vacaciones.

9. (F) o (V): Marco, el padre de Felipe, comprendió perfectamente lo que su hijo le contó sobre su primer día de clases.

10. (F) o (V): En la clase, se discutió sobre la historia y la geografía de la ciudad.

Respuestas

Preguntas

1. Felipe pasó a tercer grado.
2. Los amigos de Felipe son José y Sofía.
3. José es increíblemente inteligente, puede hablar otro idioma y es un gran jugador de ajedrez.
4. Sofía aprendió el nombre de todos los actores y actrices de su serie preferida y leyó libros sobre elfos, hobbits y el combate por el anillo.
5. La nueva maestra trajo una guitarra a la clase.
6. El primer juego fue adivinar palabras a partir de definiciones dadas por los estudiantes.
7. Felipe eligió la palabra "serendipia" para explicar su significado.

Falso o Verdadero

1. Falso
2. Falso
3. Falso
4. Falso
5. Falso
6. Verdadero
7. Falso
8. Falso
9. Falso
10. Falso

9. La visita al dentista

De vez en cuando es necesario hacer chequeos generales. Esos chequeos son distintos para cada edad: los adultos deben hacerse chequeos médicos, controlar el estado general del hogar, observar las cuentas y el presupuesto del año; los niños y los adolescentes, por su parte, reciben las notas de su año escolar y pueden observar sus avances y logros institucionales. Tanto niños como adultos deben hacer un chequeo médico especial una vez al año (como mínimo): la visita al dentista.

Por eso, la familia Rawson organizó una visita al dentista para los cuatro (mamá Ana, papá Marco, Margarita y Felipe).

- Pero estoy bien, no es necesario -dijo papá Marco, que estaba muy ocupado con reuniones.

- Es necesario para todos. Es una revisión, vamos -le explicó Ana.

- Tengo pánico al dentista, no quiero ir -dijo Margarita, que estaba asustadisima y que tenía un fuerte dolor en la boca.

- El dolor que sientes es por una muela -le explicó Ana -. ¿Prefieres tener dolor todos los días o solucionarlo en una visita al dentista?

- Oh -dijo Margarita.

No estaba muy convencida. Pero tampoco tenía muchas opciones. La noche anterior no había podido dormir por el dolor en la boca.

- ¡Qué divertido! -dijo Felipe, para quien todo era una aventura posible.

Los cuatro llegaron al consultorio del Doctor Fernández. Era uno de los mejores dentistas de la ciudad. Era muy cuidadoso, atento y calmo.

- Hola, hola, ¿cómo están todos? -dijo el doctor Fernández, recibiendo a la familia Rawson.

Felipe y Ana lo saludaron contentos. Margarita miró preocupada en otra dirección, mientras papá Marco mantenía una conversación de trabajo por el celular.

- ¿Por quién comenzamos? -preguntó el doctor Fernández.

Ana dio un paso al frente, lista para ser la primera valiente de la familia. Pero Felipe fue corriendo hacia la puerta del consultorio.

- ¿Puedo comenzar? -dijo.

- Está bien -dijo Ana -. Pero voy a acompañarte, los niños no pueden entrar solos.

- Bueno, pero después yo acompaño a Margarita y a papá -dijo Felipe.

- ¿En serio quieres acompañarlos? -dijo Ana.

- Sí, para mí esta es una gran aventura y quiero ver cómo el jefe de esta misión soluciona cada uno de nuestros problemas -explicó Felipe.

Felipe, entonces, fue el primero en entrar a la consulta.

El doctor Fernández miró sus dientes. Felipe estaba cambiando de dentadura, algo típico de su edad. Los dientes de leche caían y aparecían dientes nuevos.

El doctor Fernández sacó dos dientes flojos. Se los mostró a Felipe.

- Dos dientes menos - le dijo.

- Perfecto, puedo guardarlos para el Ratón Pérez.

El Ratón Pérez es una creencia popular de algunos países. La leyenda dice esto: cuando un niño pierde un diente de leche, puede colocarlo debajo de su almohada. Por la noche, el ratón Pérez dejará dinero a cambio del diente.

- Tengo una pregunta -dijo Felipe, desde la camilla.

- Escucho -dijo el doctor Fernández.

- ¿Por qué tengo dientes de leche y no dientes verdaderos?

- Es fácil -explicó el doctor Fernández -. Estos dientes cumplen un papel muy importante en el desarrollo de los niños, ya que les permite aprender a realizar procesos como masticar, pronunciar correctamente las palabras y ayudan a ejercitar y fortalecer correctamente toda la boca.

- Ah, pensé que eran dientes inútiles -dijo Felipe -. Y que por eso caían.

- No, son muy útiles y necesarios. Preparan a cada niño para su futura dentadura.

El siguiente turno fue para mamá Ana. Ella cuidaba muchísimo su dentadura y hacía visitas al dentista una vez cada cuatro meses. Por eso el doctor Fernández tuvo un trabajo más fácil. Felipe observaba todo.

El doctor Fernández controló la dentadura de Ana. Dio unos golpecitos en las muelas en el final del control.

- ¿Por qué golpea los dientes, doctor? -preguntó Felipe.

- Es una manera de controlar que no tienen caries internas -dijo el doctor.

- ¿Las caries son enemigas de los dientes, no?

- Efectivamente, Felipe. Las caries pueden destruir un diente de manera permanente. Y hay que vigilarlas con atención.

Afortunadamente, mamá Ana no tenía caries y Felipe tampoco.

El siguiente turno fue para papá Marco. Él estaba en una reunión de trabajo por celular. Tuvo que apagar la cámara y continuar la reunión mientras el doctor Fernández lo atendía.

- Espero que no sea molestia -dijo papá Marco.

- Es un poco raro -dijo el doctor Fernández -. A ver, por favor, abra bien la boca.

Papá Marco abrió la boca. El doctor Fernández miró hacia la izquierda de la boca, miró hacia la derecha, dio algunos golpecitos en los dientes y entonces buscó una herramienta.

- ¿Qué está buscando? -preguntó Felipe.

- Con este instrumento -dijo el doctor -, puedo hacer una limpieza bucal.

- ¿Qué es una limpieza bucal?

- Un procedimiento muy sencillo. El objetivo es eliminar residuos y restos que hay en lugares pequeñísimos entre cada diente.

- Perfecto -dijo Felipe, contento.

- También podría hacer un blanqueo -dijo el doctor Fernández.

- Em… otro día, no tengo tiempo -dijo papá Marco.

- ¿Qué es un blanqueo? -preguntó Felipe.

El doctor le explicó que blanquear era una palabra con origen en "blanco". Era un procedimiento para lograr que los dientes mantengan su color blanco. Felipe estaba asombradísimo. Estaba pensando: quiero ser dentista. El doctor Fernández, mientras tanto, miraba hacia la puerta. Pero no había nadie allí.

- Mi hermana tiene miedo a los dentistas -explicó Felipe.

- Está bien, es normal -dijo el doctor Fernández -. Voy a buscarla.

Margarita estaba en la puerta del consultorio. Tenía un fuerte dolor en la boca y miraba, preocupada, al doctor.

El doctor la acompañó hasta la camilla.

- Vamos a mirar esa boca - dijo, con cautela.

Felipe observaba todo desde una silla, al costado. Por un lado estaba preocupado por su hermana. Pero por el otro lado sentía muchísima curiosidad. ¿Qué pasaba con Margarita? ¿Tendrían que quitarle toda la dentadura?

- No es nada grave -dijo, entonces, el doctor Fernández.

- ¿No? -dijo Margarita, un poco contenta -. Pero me duele mucho.

- No es una carie -dijo el doctor Fernández -. Es solo un proceso natural.

- ¿Sufrir es un proceso natural? -dijo Margarita.

El doctor Fernández se río. A veces los adolescentes eran tan dramáticos.

- Es una muela de juicio - explicó el doctor Fernández.

- ¿Una qué? -dijo Felipe.

- Una muela de juicio -repitió Margarita.

- Exacto. Es una muela que sale lentamente. La última muela en cada parte de la dentadura. A veces puede ser doloroso. A veces es necesario hacer una pequeña operación para extraerla.

- ¿Operación? -dijo Felipe, entusiasmado, aplaudiendo.

- ¡Operación! -dijo, alarmada, Margarita.

- Algo muy simple y rápido para quitar el dolor y extraer la muela -explicó el doctor.

- ¿Pero es necesario? -preguntó Margarita.

- En este caso es lo recomendable. Vas a tomar unos medicamentos para calmar el dolor y después veremos -explicó -. Pero tranquila. No es nada grave y quizás no necesitamos operar. Esperemos.

El doctor le ofreció un calmante a Margarita. Esperaron unos minutos y comenzó su efecto. La boca ya no le molestaba.

- Mamá, papá -gritó Felipe a la salida del consultorio -. Margarita tiene que ir a un juicio.

Todos se rieron. A veces Felipe entendía mal las cosas. Las palabras son tan extrañas.

- No tengo que ir a un juicio -explicó Margarita -. Tengo que extraer una muela de juicio.

- Eso, eso -dijo Felipe.

Los Rawson regresaron a casa. Marco continuaba con sus reuniones, Ana conducía, Margarita estaba tranquila, sin dolor en su boca.

Y Felipe dormía: soñaba con una nave espacial que viajaba por el universo. ¡Todos los planetas tenían forma de diente!

Vocabulario

1. **Chequeos** - check-ups
2. **Adultos** - adults
3. **Niños** - children
4. **Adolescentes** - adolescents
5. **Notas** - grades
6. **Dentista** - dentist
7. **Familia** - family
8. **Revisión** - revision/check-up
9. **Pánico** - panic
10. **Muela** - molar/tooth
11. **Aventura** - adventure
12. **Consultorio** - office/clinic
13. **Camilla** - stretcher/examination table
14. **Ratón pérez** - tooth fairy
15. **Almohada** - pillow
16. **Masticar** - chew
17. **Pronunciar** - pronounce
18. **Dentadura** - dentition/teeth (repeated)
19. **Caries** - cavities
20. **Muela de juicio** - wisdom tooth

Preguntas

1. ¿Por qué la familia Rawson fue al dentista?
2. ¿Cuál fue la reacción inicial de Margarita al ir al dentista?
3. ¿Qué le mostró el doctor Fernández a Felipe después de revisar sus dientes?
4. ¿Qué cuidado especial tenía Ana con su dentadura?
5. ¿Qué procedimiento explicó el doctor Fernández a Felipe que estaba realizando en Marco?
6. ¿Qué tenía Margarita que le causaba dolor?
7. ¿Cómo reaccionó Felipe al escuchar sobre la muela de juicio de Margarita?

Falso o Verdadero

1. (F) o (V): La familia Rawson tenía una cita para una limpieza dental general.

2. (F) o (V): Marco estaba emocionado por su visita al dentista.

3. (F) o (V): Ana no necesitó ningún tratamiento especial en su visita al dentista.

4. (F) o (V): Felipe fue el último en ser atendido por el dentista.

5. (F) o (V): Margarita no tenía caries, pero sufría de dolor de muelas.

6. (F) o (V): El doctor Fernández encontró una carie en la boca de Felipe.

7. (F) o (V): Marco tuvo que interrumpir una reunión de trabajo para su chequeo dental.

8. (F) o (V): El doctor Fernández realizó un blanqueamiento dental a Marco.

9. (F) o (V): Felipe estaba preocupado por la posible operación de Margarita.

10. (F) o (V): Al final de la historia, Margarita todavía sentía dolor en su boca.

Respuestas

Preguntas

1. La familia Rawson fue al dentista para una revisión general.
2. Margarita inicialmente no quería ir al dentista porque tenía pánico y un fuerte dolor en la boca.
3. El doctor Fernández le mostró a Felipe dos dientes de leche que le había extraído.
4. Ana cuidaba mucho su dentadura y hacía visitas al dentista una vez cada cuatro meses.
5. El doctor Fernández explicó que estaba realizando una limpieza bucal a Marco.
6. Margarita tenía una muela de juicio que le causaba dolor.
7. Felipe reaccionó con entusiasmo y curiosidad al escuchar sobre la muela de juicio de Margarita.

Falso o Verdadero

1. Falso
2. Falso
3. Verdadero
4. Falso
5. Verdadero
6. Falso
7. Verdadero
8. Falso
9. Falso
10. Falso

10. La fiesta de Navidad

Qué increíbles son las fiestas de fin de año en los países latinoamericanos. Hay regalos, obviamente, los niños esperan a Papá Noel. La nochebuena y el año nuevo son noches de mucha comida, de reuniones familiares y vecinales. Noches con un menú amplio y versátil, con árboles de navidad luminosos, mesas de postre, garrapiñada y pan dulce. Cuando el reloj da las doce es el momento del brindis. En Navidad, los niños buscan sus regalos. Y en año nuevo se escuchan festejos, aplausos, gritos, música, baile y un poco de fuegos artificiales.

El plan de la familia Rawson para Navidad era pasarlo en familia: papá Marco, mamá Ana, Felipe, Margarita y su amiga Elena (cuyos padres estaban de viaje).

Para año nuevo el plan era distinto: la familia viajaría a otra ciudad y compartiría el festejo con los primos, padres, abuelos y hermanos de Marco. La fiesta de año nuevo sería una fiesta multitudinaria. La Nochebuena, en cambio, será una fiesta pequeña, con los familiares cercanos.

Felipe estaba particularmente ansioso. Le había escrito una larga carta a Papá Noel, pidiéndole varios regalos.

La carta decía así:

"Querido Papá Noel: mis padres me explicaron que es la última carta que puedo escribirte. Después de los seis años, los regalos los hacen los padres. Pero antes de esa edad, eres tú quien reparte los regalos de los niños de buen comportamiento. Por eso te escribo esta carta. Este año respeté todas las reglas e hice todas mis tareas. Mamá dice que soy un niño ejemplar. Quiere decir que soy un niño muy bueno. Por eso voy a pedirte tres regalos. Son muchos regalos, tú puedes elegir cuál traerme. Los escribo en orden de importancia, ¿si?

Regalo 1: una consola de videojuegos con juegos de autos (que me encantan), juegos de rol (me encantan también) y un juego de fútbol, para poder compartir con Margarita (Margarita ama el fútbol).

Regalo 2: la colección completa de los libros de fantasía que lee Margarita. Mis compañeros dicen que son libros divertidísimos y confío en ellos. Pero tengo que leer todos los libros. Creo que son tres. O siete, no estoy seguro. Pero tres libros está bien.

Regalo 3: un increíble manual de instrucciones para magos. Lo encontré en Internet. Tiene trucos de magia, instrucciones para hacer desaparecer un avión, una receta para hacer la mejor comida mágica del mundo y también un curso para aprender a mover rápido las manos (algo fundamental en trucos de magia).

Bueno, Papá Noel: esos son mis regalos. Es la última vez que te escribo una carta. Muchas gracias por hacerme regalos todos estos años. Te quiere. Felipe".

Mientras Felipe dejaba la carta en el árbol de Navidad, los Rawson estaban ocupados con varias tareas. Marco estaba preparando un asado argentino, bien completo: con matambre, costillas, chorizo, vacío, morcilla y chinchulín. En un viaje al país del sur había conocido este modo de preparar carne y quería cocinar asado en la cena, para navidad.

Ana estaba ocupada con las entradas. Para las entradas estaba preparando torre de panqueques, un plato bien completo con choclo, zanahoria, palta, mayonesa, tomate y muchas cosas más. También preparaba una ensalada rusa y una ensalada Caesar (la preferida de Margarita).

Margarita estaba preparando los postres: había aprendido una receta para hacer tiramisú por internet, y ahora estaba mezclando los quesos crema, la crema, el café y las vainillas. Era un postre riquísimo.

Elena estaba junto a ella. Su misión eran las bebidas: había comprado gaseosas, y también había preparado limonada con menta y jengibre. Había comprado un pack de cervezas y, para el brindis, tenía dos botellas de sidra y un ananá fizz.

Estaba todo casi listo. Felipe ayudó a poner la mesa. Colocó los vasos, los platos, los tenedores, cuchillos, copas y vasos. Puso el mantel, las servilletas, las gaseosas y la sal (siempre es necesario tener sal cerca en la mesa). Luego comenzaron a comer.

Felipe estaba intrigado.

- ¿Cuáles son los últimos regalos que recibieron de Papá Noel? -preguntó.

- El último regalo que recibí fue una bicicleta -recordó Margarita -. Es la bicicleta que ahora usas.

- ¿Mi bicicleta era tu bicicleta? -preguntó Felipe.

-Por supuesto, la reciclamos. Es importante continuar usando las cosas valiosas -dijo mamá Ana.

- Mi último regalo fue un libro electrónico -dijo Elena.

- ¿Un qué? -preguntó Felipe.

- Un dispositivo para leer libros electrónicos. Es muy práctico. Y lo puedes usar en la oscuridad -explicó Elena.

- ¡Quiero eso! -gritó Felipe.

- Felipe, no puedes pedirle otra cosa a Papá Noel. Ya le enviaste tu carta -le dijo papá Marco.

- ¿Y tu último regalo de papá Noel, cuál fue? -preguntó, curiosa, Margarita.

- No recuerdo -dijo Marco -. Pero sí recuerdo el mejor regalo que recibí: una entrada para ver un partido de básquet. Fue grandioso.

- Mi mejor regalo fueron ustedes -dijo Margarita, mirando a sus hijos.

- ¿Fuimos un regalo de Papá Noel? -preguntó, sorprendido, Felipe.

Los Rawson se rieron a carcajadas. Felipe no entendía el chiste, y los miraba a uno y a otro.

- No, hijo, es una manera de decir -explicó Ana.

- Oh… me gustaba la idea de que nos trajo Papá Noel -dijo Felipe -. Entonces: ¿Cómo llegamos al mundo?

- Ay, esa pregunta es para otro momento -dijo Marco.

- Ja ja, sí -dijo Margarita –. Ahora es momento de cenar.

Durante la cena, Felipe propuso un juego que fue un gran tema de conversación. Hablaron de distintos rituales de final de año en distintas partes del mundo. Fue una cena increíble.

Elena contó del ritual de algunos pequeños pueblos de Estados Unidos. El curioso ritual de festejar lanzando un objeto, por ejemplo, una papa enorme. En plazas públicas. Era una tradición extraña, pero divertida.

Marco contó de una tradición que había conocido en un viaje a Escandinavia. La tradición era la siguiente: antes de que sean las doce, las personas tienen que trepar a una silla. Y después de las doce, tienen que saltar. Es para la buena suerte.

Ana les contó la tradición de las valijas. En algunos países latinoamericanos, caminar con una valija durante año nuevo es buena suerte. Una caminata rápida, alrededor de la cuadra, llevando una valija, supuestamente favorece un año de muchos viajes.

Felipe tenía una sorpresa para todos. En la escuela había aprendido un excelente ritual navideño. El ritual era el siguiente: había que poner monedas doradas de chocolate en el árbol de Navidad. Había hablado con su abuela, en secreto, para preparar esas monedas de chocolate.

Entonces, cuando eran las doce de la noche, los Rawson brindaron. Felipe fue corriendo hacia el árbol. Buscó las monedas y llevó una para cada persona de la familia y una para Elena.

-Esto es para un buen año con mucho dinero -dijo, contento.

Estaba más contento por sus monedas que por el regalo de Papá Noel. Pero no lo olvidó: fue hacia el árbol y encontró el regalo. Era un libro con trucos de magia. Estaba contentísimo.

Mientras la familia brindaba y festejaba con algunos fuegos artificiales, Felipe fue a su habitación. Estaba listo para ser mago. Dentro del libro había una carta.

“Felipe, espero que seas un buen niño el próximo año. Este fue mi último regalo. Ahora los regalos los elegirán tus padres. Mucha suerte. Y aprende trucos de magia pronto. Feliz Navidad. Papá Noél".

Vocabulario

1. **Increíbles** - incredible
2. **Nochebuena** - christmas eve
3. **Versátil** - versatile
4. **Garrapiñada** - candied peanuts
5. **Primos** - cousins
6. **Ansioso** - anxious
7. **Ejemplar** - exemplary
8. **Magos** - magicians
9. **Matambre** - flank steak (specific cut of meat)
10. **Chinchulín** - chitterlings
11. **Palta** - avocado
12. **Tiramisú** - tiramisu
13. **Limonada** - lemonade
14. **Sidra** - cider
15. **Rituales** - rituals
16. **Papa** - potato
17. **Valijas** - suitcases
18. **Chocolate** - chocolate
19. **Fuegos artificiales** - fireworks
20. **Cena** - dinner

Preguntas

1. ¿Qué esperaban los niños durante la nochebuena en países latinoamericanos según la historia?
2. ¿Cuál era el plan de la familia Rawson para la Navidad?
3. ¿Cuántos regalos pidió Felipe en su carta a Papá Noel?
4. ¿Qué estaba preparando Ana para la cena de Navidad?
5. ¿Cuál fue el último regalo que Felipe recibió de Papá Noel?
6. ¿Qué ritual navideño compartió Elena durante la cena?
7. ¿Qué objeto especial puso Felipe en el árbol de Navidad como parte de un ritual navideño?

Falso o Verdadero

1. (F) o (V): Margarita no participó en la preparación de la cena de Navidad.

2. (F) o (V): Felipe pidió un libro electrónico en su carta a Papá Noel.

3. (F) o (V): Marco preparó un asado argentino para la cena de Navidad.

4. (F) o (V): La familia Rawson pasó el año nuevo en su casa.

5. (F) o (V): Elena trajo vino para el brindis de la cena de Navidad.

6. (F) o (V): El regalo final de Papá Noel para Felipe fue un libro de magia.

7. (F) o (V): La bicicleta de Margarita era nueva cuando la recibió.

8. (F) o (V): La familia Rawson tenía planeado viajar a otra ciudad para celebrar el año nuevo.

9. (F) o (V): Felipe no sabía qué era un libro electrónico.

10. (F) o (V): Marco recordó claramente su último regalo de Papá Noel.

11. La Historia del Perrito

Casi todas las personas tienen mascotas. Los animales más populares son los perros y los gatos, pero hay familias que también tienen otras mascotas: tortugas, loros, pececitos, conejos, hámsteres, caballos. En un ámbito rural, las familias conviven con vacas, ovejas, cabras, chivos, gallos, gallinas; en el bosque, las personas pueden convivir con castores, osos y zorros. En cada lugar podemos encontrar distintos tipos de animales.

Los Rawson tuvieron distintas mascotas en su historia familiar. Actualmente tienen un gato. Su nombre es Pinocho, es un gato blanco, muy grande y peludo. A Pinocho le encanta dormir, comer, mirar la televisión, jugar, comer y dormir otra vez. Su persona preferida de la casa es Felipe. Felipe siempre juega con él, le hace mimos y le habla. A Pinocho le encanta escuchar voces humanas. Es un gato muy atento. Es capaz de percibir cualquier cambio y, como todos los gatos, tiene un oído increíblemente bueno. Por ejemplo: Pinocho puede escuchar a papá Marco llegando en auto a la casa antes que los demás. Pinocho sabe quién despierta primero y va a saludarlo a la habitación.

Hoy Pinocho está particularmente inquieto. Felipe no entiende qué ocurre. Pinocho mira constantemente por la ventana y mueve la cola. Cuando Pinocho hace eso, significa "problemas". Claro que para Pinocho "problemas" es cualquier cosa nueva. Es un gato muy obsesivo: cualquier cambio es un "problema".

- ¿Pasa algo, Pinocho? -le pregunta Felipe.

El gato va de un lado a otro de la casa, moviendo la cola.

- ¿Estás preocupado, Pinocho? - le pregunta mamá Ana.

Pinocho la mira y maúlla. Algo muy importante: los gatos solamente le maúllan a los humanos. Es su modo de comunicarse con ellos. Probablemente con su maullido, Pinocho está diciendo, en este momento, "ocurre algo extraño".

Felipe se ríe y observa a Pinocho. Pinocho salta al sillón y mira por la ventana, luego salta al televisor y mira por la otra ventana. Va a la habitación de Margarita y mira por otra ventana. ¿Qué está mirando Pinocho?

De pronto, Felipe escucha un ruido. Es un ruido perfectamente reconocible. Es el ladrido de un perro. Pinocho inmediatamente se esconde debajo de la cama.

- ¿Un perro? -pregunta mamá Ana.

- Yo escuché un perro también -dice Felipe.

Los dos abren la puerta, con cuidado. En la entrada de la casa hay un perro que los mira con atención y mueve la cola. Es negro, con una mancha en el hocico y es tan alto como Felipe.

- Whoaaa -dice Felipe, mirando al perro.

- Es hermoso -dice Ana.

- ¿Qué hacemos con él? ¡Es nuestro! -grita Felipe.

- Creo que está perdido -dice Ana.

Y efectivamente, tiene razón. El perro tiene un collar que dice "Cascabel".

- ¿Cascabel? -pregunta Ana, mirando al perro.

El perro se para en sus dos patas y gira, contento con su nombre.

- Se llama Cascabel entonces -dice Felipe.

- Sí, y está perdido -le explica Ana.

- Entonces no es nuestro -dice Felipe.

- No. Y tenemos que cuidarlo mientras buscamos a sus dueños -dice Ana.

Desde ese momento, Cascabel es el nuevo habitante de la casa, por lo menos por un tiempo. Es un perro sumamente inquieto. Todo el tiempo está detrás de Felipe o de Ana, moviendo la cola. Si nadie le presta atención, Cascabel ladra. Felipe le lanza una pelota. Cascabel la busca, y se la devuelve a Felipe. Le gusta mucho jugar. Todo el tiempo quiere estar con la pelota.

Pinocho, mientras tanto, mira desde lejos. Está sentado arriba de un mueble, observando muy atentamente a Cascabel. Si Cascabel se acerca, Pinocho hace un ruido extraño y peligroso.

- A Pinocho no le gusta nuestro invitado -dice Felipe.

- Solo está un poco incómodo -dice Ana.

Esa tarde, Felipe aprende las diferencias principales entre gatos y perros. Los gatos disfrutan de estar tranquilos; los perros, en cambio, son inquietos y quieren jugar todo el tiempo. Los gatos disfrutan de su soledad y no siempre disfrutan de acompañar a los humanos; los perros, en cambio, quieren estar junto a los humanos todo el tiempo. Los gatos tienen movimientos sutiles y lentos, los perros son un poco torpes. Y una cosa más: los gatos son animales caseros, los perros, en cambio, disfrutan enormemente salir afuera junto a humanos, y cuidarlos de cualquier peligro.

También tienen cosas en común. Tanto Cascabel como Pinocho duermen en cualquier lado: en el piso, en la alfombra, en la cama, en el césped. Duermen en horarios extraños y durante mucho tiempo. Tanto Cascabel como Pinocho entienden cuando un humano les habla. Les gusta mucho saludar, y dos o tres veces al día piden una ración de comida. Tanto Pinocho como Cascabel son animales sumamente atentos. Cada vez que una persona entra en la casa, Cascabel ladra y Pinocho observa con atención, moviendo la cola.

- ¿Y esto? -pregunta papá Marco, cuando sale de su oficina luego de un largo día de reuniones de trabajo.

- Se llama Cascabel, es nuestro nuevo perro -dice Felipe.

Marco mira a Ana, intrigado. Ana sonríe.

- Es un perro perdido. Estamos buscando a su dueño. Mientras tanto, vivirá con nosotros -explica Ana.

- Qué lindo perro -exclama Marco, que ama los perros. Cascabel le da una patita, y después busca la pelota para jugar.

- Los perros -explica Marco -son animales muy obedientes. Es fácil adiestrarlos.

Entonces Marco le señala el piso a Cascabel. Cascabel se sienta. Después le hace una señal de salto. Cascabel salta. Felipe está sorprendido y quiere hacer lo mismo. Cascabel obedece.

Luego Felipe busca a Pinocho. Pinocho bosteza y lo mira atento.

- Siéntate -le dice Felipe.

Pinocho no entiende nada de lo que están diciendo y vuelve a bostezar.

- Ahora salta -dice Felipe. Pinocho se recuesta en el sillón y cierra los ojos.

- Papá, Pinocho no hace caso -dice Felipe.

- Es más difícil adiestrar a un gato -le explica el padre. Son animales un poco extraños, nunca sé qué piensan -dice.

En ese momento Cascabel empieza a correr de un lado al otro de la casa. Le ladra a una ventana, luego a otra, luego va a la cocina y salta contra una puerta. Ladra por toda la casa. Pinocho está preocupadísimo.

- ¿Y ahora qué está pasando? - dice Ana.

Felipe reconoce las señales rápidamente.

- Es igual que hace un rato. Es otro perro, estoy seguro -dice, y corre hacia la puerta.

En la entrada de la casa de los Rawson no hay otro perro, tampoco otro gato, tampoco vacas, o cerdos o elefantes. En la entrada está Margarita junto con una niña que tiene el rostro lleno de lágrimas.

- ¡Por qué llora tanto? -dice, sorprendido, Felipe, mientras observa a la niña.

- Perdió a su perro -dice Margarita, y muestra un cartel que la niña lleva en las manos.

En el cartel está claramente Cascabel. Felipe pone cara triste, Ana y Marco, por el contrario, sonríen y abren la puerta de la casa. Cascabel sale corriendo hacia la niña y salta hacia ella.

- Acá estabas -dice la niña, mientras el perro le lame la cara.

- Es un perro muy juguetón -dice Ana.

Felipe mira, un poco triste, a la niña.

- Me gustaba mucho jugar con Cascabel -dice en voz baja.

- Somos nuevos en el barrio -dice la niña -. Vivimos en la otra cuadra.

Felipe sonríe. Entonces se acerca a la niña.

- Me llamo Felipe -le dice -. Cuando quieras puedo cuidar a tu perro.

- Podemos cuidarlo juntos. ¿Mañana, te parece? -dice la niña, sonriendo.

Pinocho, mientras tanto, mira tranquilo por la ventana. No le gustaba mucho la visita de Cascabel, a decir verdad. Esos ladridos eran insoportables.

Cascabel se despide de los Rawson. De todos y cada uno de ellos. Antes de irse, entra corriendo en la casa. Busca a Pinocho por todos lados. Cuando le encuentra le ladra, contento, despidiéndose. Pinocho se mira las uñas. Es, quizás, su manera de despedirse y de saludar.

Esa noche Pinocho duerme tranquilo junto a Felipe. Felipe sueña que tiene un perro nuevo. Cascabel, en su casa, sueña que corre mucho junto a un grupo de niños divertidos.

- ¿Podríamos tener un perro, no? -le dice Marco a Ana, antes de dormir.

- Es una buena idea -dice Ana.

Vocabulario

1. **Perrito** - puppy
2. **Mascotas** - pets
3. **Perros** - dogs
4. **Gatos** - cats
5. **Tortugas** - turtles
6. **Loros** - parrots
7. **Pececitos** - little fish
8. **Conejos** - rabbits
9. **Hámsteres** - hamsters
10. **Caballos** - horses
11. **Vacas** - cows
12. **Ovejas** - sheep

13. **Cabras** - goats
14. **Chivos** - goats (alternate term)
15. **Gallos** - roosters
16. **Gallinas** - hens
17. **Castores** - beavers
18. **Osos** - bears
19. **Zorros** - foxes
20. **Pinocho** - pinocchio

Preguntas

1. ¿Qué tipo de mascota tiene actualmente la familia Rawson?
2. ¿Cómo se llama el gato de la familia Rawson y cuáles son algunas de sus actividades favoritas?
3. ¿Qué animal llega a la casa de los Rawson y cómo reacciona Pinocho?
4. ¿Qué nombre tiene el perro que llega a la casa de los Rawson?
5. ¿Cómo se comporta el perro Cascabel en la casa de los Rawson?
6. ¿Qué diferencias entre gatos y perros aprende Felipe durante la tarde?
7. ¿Cómo termina la historia del perro Cascabel con la familia Rawson?

Falso o Verdadero

1. **(F) o (V):** Felipe y Margarita nunca han tenido mascotas antes de Pinocho.
2. **(F) o (V):** Pinocho es un gato que disfruta mucho de la actividad física.
3. **(F) o (V):** Cascabel es un perro que llega a la casa de los Rawson y se queda a vivir con ellos permanentemente.
4. **(F) o (V):** Cascabel y Pinocho se hacen amigos rápidamente.
5. **(F) o (V):** Pinocho puede percibir cambios en el ambiente y tiene un oído muy agudo.
6. **(F) o (V):** Felipe se emociona al ver a Cascabel y quiere quedárselo.
7. **(F) o (V):** Marco no muestra interés en los perros y prefiere no interactuar con Cascabel.
8. **(F) o (V):** Felipe descubre que los gatos y perros tienen muchas diferencias en su comportamiento.
9. **(F) o (V)**: Al final de la historia, la familia Rawson decide adoptar a Cascabel.

10. (F) o (V): Felipe aprende que adiestrar a un gato es más fácil que adiestrar a un perro.

11.

12. El Día de la Lluvia

Hay distintos climas y distintas palabras para nombrar el clima.

Están las estaciones: otoño, invierno, primavera, verano. Están los días soleados, los días nublados, los días lluviosos, los días con tormenta, los días de nieve. Están los climas secos, los climas húmedos y los climas templados. Hay días de mucho calor, días fríos, hay días con probabilidad de chaparrones, días con probabilidad de niebla. También hay lugares con probabilidad de huracán y tornado, maremoto, tormentas de arena. Y, finalmente, están los días con temperaturas medias, con un poco de sol y un poco de viento fresco.

- Ahora, con el cambio climático, el clima es más inestable y extremo -explicó Margarita.

Era sábado y los Rawson tenían grandes planes. Había programado todo con cuidado. Por la mañana irían a comer a un restaurante nuevo, por la tarde irían al parque de diversiones y a la noche irían al cine a mirar la nueva película de superhéroes de moda. El problema era que el clima estaba cambiando. El sol estaba oculto entre las nubes y un fuerte viento había comenzado a soplar.

- ¿El cambio climático? -preguntó Felipe -. ¿Qué es eso?

- El clima ya no es lo que era -explicó papá Marco -. Eso significa.

- Antes los inviernos eran menos fríos y los veranos menos calurosos -explicó mamá Ana.

- Ahora, con el cambio climático, hay tormentas más fuertes y sorpresivas -dijo Margarita.

- Uh, es algo malo entonces -dijo Felipe.

- Un poco sí -dijo Margarita, que tiene una gran conciencia ecologista.

- ¿Entonces qué hacemos? ¿Mantenemos nuestros planes? -preguntó papá Marco.

- Esperemos veinte minutos - recomendó mamá Ana.

Así que los Rawson esperaron un rato, sentados en el sillón, conversando entre ellos. Exactamente quince minutos después, comenzó una tormenta. No era una tormenta grande, pero llovía a cántaros y no era buena idea salir.

- ¿Y ahora qué hacemos? -preguntó, triste, Felipe.

- Tendremos que ser creativos - dijo mamá Ana.

- Es fácil, soy muy creativo -dijo Felipe.

- Es verdad -dijo mamá Ana -. ¿Qué propones entonces?

La propuesta de Felipe para esa mañana fue jugar a las adivinanzas. Mientras Marco preparaba el almuerzo, los Rawson jugaron a las adivinanzas.

Esta fue la adivinanza de Felipe: "Soy bonito por delante y algo feo por detrás, me transformo a cada instante ya que imito a los demás. ¿Sabes quién soy?".

Los Rawson pensaron durante unos minutos.

- Es difícil -dijo Ana.

- Soy muy malo para las adivinanzas -dijo Marco.

- ¡El espejo! -dijo Margarita, acertando a la adivinanza.

El siguiente turno era de mamá Ana. Esta fue su adivinanza: "Desde el día en que nací, corro y corro sin cesar, corro de noche y de día y así llego hasta el mar".

- ¿Corre? ¿Corre todo el tiempo? ¿Un maratonista? -dijo Marco, equivocando la respuesta.

- Yo sé, yo sé. ¡El río! -dijo Felipe, acertando la respuesta.

Todos aplaudieron. No era una adivinanza fácil y Felipe había encontrado la solución. Papá Marco dijo que no conocía ninguna adivinanza, y le pasó el turno a Margarita. Ella tenía una adivinanza un poco más difícil. Esta era la adivinanza de Margarita: "¿Qué es lo que puede viajar por todo el mundo mientras permanece en una esquina?".

- Wow -dijo Felipe -. Es dificilísima.

- No tengo ni idea -dijo Marco.

- ¿Eso es posible? -pensó, inquieta, mamá Ana.

Los Rawson pensaron durante varios minutos pero no encontraron respuesta. Dicen que para encontrar soluciones es bueno pensar en otra cosa. Por eso los Rawson comieron el almuerzo, una comida simple, con sobras del día anterior. En un momento, aceptaron que no podían encontrar la respuesta a la adivinanza de Margarita.

- ¿Y cuál es la respuesta entonces? -preguntó mamá Ana.

- Un sello postal -dijo Margarita.

- ¡Es verdad! -exclamó Marco -. Un sello postal viaja por todo el mundo y permanece en una esquina.

- ¿Qué es un sello postal? ¿Un tipo de transporte? -dijo, confundido, Felipe.

- Un sello postal es una pequeña imagen que pones en una esquina de una carta. Y luego la carta puede ir a cualquier lugar del mundo. Y el sello postal permanece en esa carta mientras viaja por cualquier parte. Como las cartas que le envías a Papá Noel.

- Me encanta -dijo Felipe -. Ahora quiero enviar una carta.

Afuera continuaba lloviendo. Las calles estaban mojadas, y solo había algunas personas caminando rápidamente debajo de un paraguas. Para pasar la tarde, los Rawson imaginaron un nuevo juego. El juego de las recetas. Estas eran las reglas. Ana daba una receta y los demás tenían que seguir las instrucciones para prepararla.

Esta fue la receta:

Paso número 1: Batir dos huevos en un bowl.

Paso número 2: Agregar 100 gramos de azúcar.

Paso número 3: Agregar una pizca de sal, un poco de canela y una cuchara de aceita de girasol.

Paso número 4: Rallas dos zanahorias medianas. Agregar eso al bowl.

Paso número 5: Agregar 250 gramos de harina leudante.

Paso número 6: Mezclar todo hasta formar una masa.

Paso número 7: Colocar esa masa en un recipiente enharinado.

Paso número 8: Colocar el recipiente en el horno a temperatura media. Durante veinte minutos aproximadamente.

Paso número 9: Sacar el recipiente del horno. Colocar la preparación en un plato. Bañar con jugo de limón o de naranja.

Paso número 10: Hora de comer budín de zanahorias.

Y era, a decir verdad, un budín exquisito. Margarita buscó en internet y encontró dos sugerencias extra. Agregar un poco de crema batida y algunos arándanos. Por suerte tenían todos los ingredientes en la heladera.

Acompañaron el budín con mate (Margarita era fanática del mate), té de manzanilla, café y chocolatada. Fue una gran tarde en casa.

Para la noche, los Rawson no estaban seguros del plan. Afuera lloviznaba un poco. Tenían treinta minutos para llegar al cine, al horario de la película de superhéroes. El problema es que conducir con mucha velocidad es peligroso. Además, las rutas mojadas no son seguras. Por esas razones, Marco y Ana decidieron permanecer en casa.

Buscaron en la televisión opciones de películas para ver.

Este era el nuevo juego: cada uno buscaba una opción. Después entre todos elegían la mejor propuesta y miraban esa película.

Marco eligió una película de acción: dos soldados escapan de una guerra y deciden cambiar sus identidades. Cada uno regresa a un lugar distinto, con un nuevo nombre.

Ana eligió una película romántica: dos amigos de la infancia se separan.

Doce años después se encuentran por internet y comienzan una relación amorosa, complicada por la distancia. Doce años después, finalmente, se encuentran.

Margarita eligió un documental sobre volcanes. Le encantaban los documentales y le encantaban los volcanes. Decía que era la cosa más magnífica del mundo. Tan poderosos y tan impredecibles.

Felipe eligió una película más sencilla: una película de dibujos animados sobre un hombre que soñaba con construir aviones. Al principio el hombre tenía que estudiar mucho, porque construir aviones no es fácil. Luego tenía que atravesar una guerra, y trabajar en otra cosa porque era un momento difícil. Pero entonces, a los cuarenta años, pudo construir su primer avión. Fue una experiencia magnífica, un sueño hecho realidad.

Esa fue la película que eligieron todos. La miraron muy contentos mientras anochecía.

A la madrugada, finalmente, la lluvia se detuvo.

Pero a esa altura los Rawson dormían profundamente. El pronóstico para el día siguiente decía: "Día soleado, ideal para pasar fuera de casa".

Vocabulario

1. **Climas** - climates
2. **Otoño** - autumn
3. **Invierno** - winter
4. **Primavera** - spring
5. **Verano** - summer
6. **Tormenta** - storm
7. **Maremoto** - tsunami
8. **Huracán** - hurricane
9. **Tornado** - tornado
10. **Temperaturas** - temperatures
11. **Inestable** - unstable
12. **Parque** - park
13. **Cine** - cinema
14. **Superhéroes** - superheroes
15. **Restaurantes** - restaurants
16. **Adivinanzas** - riddles

17. **Almuerzo** - lunch
18. **Sobras** - leftovers
19. **Budín** - pudding
20. **Zanahorias** - carrots

Preguntas

1. ¿Cuál era el plan original de la familia Rawson para el día?
2. ¿Qué estaba preparando Marco para la cena de Navidad?
3. ¿Qué actividad propuso Felipe para pasar el tiempo durante la lluvia?
4. ¿Cuál fue la respuesta a la adivinanza de Margarita?
5. ¿Qué receta prepararon los Rawson en la tarde?
6. ¿Qué tipo de película eligió Margarita para ver por la noche?
7. ¿Cuál era el pronóstico del tiempo para el día siguiente?

Falso o Verdadero

1. **(F) o (V):** Felipe sugirió ver una película de acción durante la noche.
2. **(F) o (V):** La familia Rawson decidió salir a pesar de la lluvia.
3. **(F) o (V):** Ana eligió una película romántica para ver en la noche.
4. **(F) o (V):** Marco y Ana optaron por permanecer en casa debido a la lluvia.
5. **(F) o (V):** La adivinanza de Ana fue acertada por Marco.
6. **(F) o (V):** Margarita eligió una película de dibujos animados sobre aviones.
7. **(F) o (V):** El día estaba soleado y sin viento.
8. **(F) o (V):** Los Rawson jugaron a las adivinanzas para pasar el tiempo.
9. **(F) o (V):** El clima cambió y se convirtió en un día tormentoso.
10. **(F) o (V):** La receta que los Rawson siguieron fue para hacer una torta de chocolate.

Respuestas

Preguntas

1. Originalmente, la familia Rawson planeaba ir a comer a un restaurante, luego al parque de diversiones y finalmente al cine.
2. Marco estaba preparando un asado argentino completo.
3. Felipe propuso jugar a las adivinanzas.
4. La respuesta a la adivinanza de Margarita era "un sello postal".
5. Prepararon un budín de zanahorias.
6. Margarita eligió un documental sobre volcanes.
7. El pronóstico para el día siguiente era un "Día soleado, ideal para pasar fuera de casa".

Falso o Verdadero

1. Falso
2. Falso
3. Verdadero
4. Verdadero
5. Falso
6. Falso
7. Falso
8. Verdadero
9. Verdadero
10. Falso

13. La Celebración de Halloween

En todo el mundo hay distintos tipos de fiestas. Cada país tiene su fiesta de la independencia, sus rituales de Navidad y de Año Nuevo, sus feriados especiales. Al mismo tiempo hay celebraciones populares: el día de los enamorados, el día del padre y de la madre y, también, el famoso Halloween, una fiesta norteamericana que es popular en todo el mundo.

Halloween tiene como símbolo una calabaza enorme con rasgos monstruosos, niños corriendo por las calles con una bolsa para recoger golosinas y también algo sumamente importante: los disfraces. Esa es, sin dudas, la parte preferida de Halloween para los Rawson y para casi todo el mundo. A los Rawson les encantan los disfraces.

En este día de Halloween todos están disfrazándose. Felipe está en su habitación, pensando qué disfraz usar. Tiene dos opciones en mente.

a) Un disfraz de fantasma: para eso puede usar una sábana blanca. Tiene que hacer dos agujeros en una parte de la sábana, para poder mirar desde allí. Y tiene que ser una sábana vieja, porque las sábanas nuevas son para dormir y no para jugar.

b) Un disfraz de Mariachi. Es una idea espectacular, que pensó después de ver una película animada. Para ese disfraz necesita un sombrero mexicano (no tiene sombrero mexicano), una guitarra (su padre puede prestarle una) y un chaleco mexicano (tampoco tiene). Le gusta mucho esta idea, pero necesita los elementos para el disfraz. No hay tiempo para buscarlos. Por eso está pensando cómo reemplazar esos elementos.

Pensando en estas dos opciones, Felipe pasa buena parte de la tarde, algo indeciso. Solo falta un rato para salir a golpear las puertas de los vecinos.

Mientras tanto, en el comedor de la casa de los Rawson, Margarita y Elena están listas. Margarita está disfrazada de caja de leche. Es una idea muy divertida que encontró en un video. Usó una caja de cartón grande para su cuerpo y dibujó una sonrisa en la caja de cartón. Luego la pintó de colores celestes y blancos. En la parte de atrás de su disfraz, puso una imagen que dice "Buscada", y hay una fotografía suya.

Elena también está lista. Su disfraz es más sencillo. Está disfrazada de bruja. Tiene una escoba y está totalmente despeinada. Jamás estuvo tan despeinada y sin maquillaje.

- Estás horrible -dice, riéndose, Margarita.

- Gracias, es la idea -dice, riéndose, Elena.

Mientras esperan a Felipe, recuerdan los mejores y peores disfraces que conocieron en sus vidas. Este es el top 3 para cada uno de los disfraces.

Mejores disfraces, top 3.

1) El disfraz de hombre duchándose que usó uno de sus amigos para el Halloween pasado. Era un disfraz muy gracioso. Era una cortina que envolvía al joven y arriba tenía una ducha. El joven iba por todos lados descalzo, con un jabón en la mano, cantando, como si estuviera en la ducha.

2) El disfraz de pantalla de celular rota que usó Margarita dos años atrás. Era una idea muy sencilla. Margarita puso su cara en el marco de un cartón y dibujó las letras y los números de un teléfono celular. El resultado era genial: Margarita parecía atrapada en una llamada telefónica que estaba tildada.

3) El disfraz de balón de fútbol de papá Marco, hace varios años, cuando estaba un poco gordo. Entonces tuvo esa gran idea: disfrazarse de balón y correr por todos lados, como si la casa fuese un campo de deportes. A cada rato gritaba "goool" y levantaba las manos.

Peores disfraces, top 3.

1) El puesto número 1 es sin dudas para un disfraz que vieron en televisión. Un hombre se había disfrazado de inodoro. Había usado la rueda de un tractor, pintada de blanco y tenía una remera con cosas típicas del inodoro. ¡Qué asco! No era para nada divertido, qué mala idea.

2) El puesto número 2 es también de un disfraz de la televisión. Una mujer se disfrazó de ataúd. Y entonces abrías la tapa, y ella aparecía maquillada de persona muerta. Era un disfraz ocurrente, es verdad, pero también de mal

gusto.

3) El puesto número 3 es para papá Marco, otra vez. Al año siguiente de disfrazarse de balón de soccer se disfrazó de balón de fútbol americano. No es muy divertido repetir la idea de disfraz. Además, como el fútbol americano es un deporte más agresivo, papá Marco estuvo chocando contra las personas toda la noche. Fue un poco incómodo y hubo algunos lesionados.

Recordando todos estos disfraces, Margarita y Elena pasan un gran rato. Cuando es la hora de salir, Felipe baja por las escaleras. Las dos no pueden creer lo que ven.

- ¿Les gusta? -pregunta Felipe.

- Es… muy.. particular -responde Elena.

- ¿Es lo que pienso que es? -pregunta Margarita.

- Quizás -dice Felipe -. ¿Qué piensas que es?

- ¿Un fantasma Mariachi?

- Exacto -dice contento Felipe. Luego explica -. Tenía dos ideas, no me decidía por ninguna. Entonces hice las dos cosas al mismo tiempo.

- Definitivamente eres muy creativo -dice Elena.

-Somos una familia creativa -reflexiona Margarita.

- Se llama "síntesis" -dice, orgulloso, Felipe.

Pero Elena no está escuchando. Está horrorizada, mirando hacia la ventana.

- ¿Estás bien? -pregunta Margarita.

- ¿Qué pasa ahora? -dice, alarmado, Felipe, con un poco de acento mexicano.

- Creo que vi… algo… horrible -dice, temblando, Elena.

Margarita y Felipe se acercan a la ventana y miran con curiosidad. De pronto escuchan que alguien golpea la puerta.

- ¿Truco o trato? -dice una voz.

- Primer visitante -dice, contento, Felipe.

Pero cuando abren la puerta están muy confundidos. Hay una persona disfrazada de… Elena. Y detrás de esa persona con el disfraz de Elena, hay una persona disfrazada de extraterrestre.

- Hola chicos -dice papá Marco, desde el disfraz de extraterrestre.

- ¿Les gusta mi disfraz? -dice mamá Ana, desde su disfraz de Elena.

Es una idea divertidísima que tuvieron: combinar un disfraz de extraterrestre con un disfraz de Elena. Elena ya no está asustada. Aplaude la idea y se siente popular. Además, piensa que para el próximo Halloween va a disfrazarse de Margarita.

Ya están todos listos para ir a las casas vecinas.

Felipe va primero a la casa de su amiga Sofía. Golpea la puerta y abre el perro Cascabel, su gran amigo. Le lame la cara y luego le ladra y pide jugar a lanzar un palo e ir a buscarlo. Pero Felipe está ocupado con Halloween, así que solo lanza el palo un par de veces y luego acaricia la cabeza de Cascabel, despidiéndose.

- ¿Truco o trato? - le dice a Sofía. Ella está disfrazada de burbuja. Una idea simple pero efectiva. Sofía les da varias golosinas y parten contentos.

Luego de esa, van a la casa del Doctor Fernández, otro de los vecinos. Golpean la puerta, pero no atiende nadie. Golpean nuevamente, con más fuerza.

- Ouch -dice el doctor Fernández, que está disfrazado de su propia puerta.

- Ja, ja, qué gran idea -dice, contento Felipe -. Es genial.

- Sí, creo que entra en el top 3 de disfraces -dice Margarita.

- Seguro -dice Elena -es una idea increíble. El problema es que tienes que estar todo el tiempo en el mismo lugar -razona.

- Mmm… es verdad -dice el doctor Fernández.

Esa noche terminan recogiendo muchísimas golosinas: veinte chupetines, cuarenta bombones, doscientos treinta y cinco caramelos, trece chicles y doce botellas de jugo de naranja.

Para finalizar ese día de celebraciones y disfraces, miran una película mientras comen palomitas de maíz. Es una película llena de monstruos, porque Halloween es el día perfecto para las películas de monstruos: el hombre lobo, Frankestein, Drácula, el jinete sin cabeza, la Llorona, el hombre invisible y el hombre de la bolsa.

Eso sí: para no tener pesadillas, duermen todos juntos, delante del televisor, cuando termina la película.

Vocabulario

1. **Calabaza** - pumpkin
2. **Monstruosos** - monstrous
3. **Golosinas** - sweets
4. **Fantasma** - ghost
5. **Mariachi** - mariachi
6. **Chaleco** - vest
7. **Caja** - box
8. **Celeste** - light blue
9. **Bruja** - witch
10. **Escoba** - broom
11. **Duchándose** - showering
12. **Pantalla** - screen
13. **Inodoro** - toilet
14. **Ataúd** - coffin
15. **Fútbol** - soccer
16. **Triller** - thriller
17. **Chupetines** - lollipops
18. **Palomitas** - popcorn
19. **Monstruos** - monsters
20. **Televisor** - television

Preguntas

1. ¿Qué disfraz finalmente eligió Felipe para Halloween?
2. ¿De qué se disfrazó Margarita?
3. ¿Cuál era el disfraz de Elena?
4. ¿Qué disfraz utilizó papá Marco para Halloween?
5. ¿Con qué disfraz sorprendió mamá Ana a todos?
6. ¿Qué idea simple pero efectiva tenía Sofía para su disfraz?
7. ¿Cuál fue la original idea de disfraz del doctor Fernández?

Falso o Verdadero

1. **(F) o (V)**: Felipe consideró disfrazarse de un pirata para Halloween.

2. **(F) o (V)**: Elena optó por un disfraz muy elaborado y elegante.

3. **(F) o (V)**: Margarita creó su disfraz inspirándose en un video.

4. **(F) o (V)**: La mamá de Felipe se disfrazó de un personaje de película de terror.

5. **(F) o (V)**: El disfraz de Papá Marco fue el más sencillo de la familia.

6. **(F) o (V)**: Felipe decidió mezclar dos ideas de disfraces diferentes.

7. **(F) o (V)**: En la casa del Doctor Fernández, los niños recibieron muchos dulces.

8. **(F) o (V)**: Sofía estaba disfrazada de astronauta.

9. **(F) o (V)**: La película que eligieron para ver al final del día era una comedia romántica.

10. **(F) o (V)**: Todos los miembros de la familia Rawson eligieron disfraces tradicionales de Halloween.

Respuestas

Preguntas

1. Felipe eligió un disfraz de "fantasma Mariachi", combinando dos de sus ideas originales.
2. Margarita se disfrazó de una caja de leche.
3. Elena se disfrazó de bruja, con su cabello totalmente despeinado y sin maquillaje.
4. Papá Marco se disfrazó de extraterrestre.
5. Mamá Ana se disfrazó de Elena, en una combinación divertida con el disfraz de extraterrestre de papá Marco.
6. Sofía eligió disfrazarse de burbuja, una idea sencilla pero efectiva.
7. El doctor Fernández se disfrazó de su propia puerta, una idea muy original que lo mantenía en un mismo lugar.

Falso o verdadero

1. Falso
2. Falso
3. Verdadero
4. Falso
5. Falso
6. Verdadero
7. Falso
8. Falso
9. Falso
10. Falso

14. El día en la Escuela de Natación

Hay distintas actividades para las vacaciones de verano. Viajar a la playa, viajar por el mundo, viajar con amigos, viajar solo, viajar en familia, ir de campamento, hacer autostop, arreglar la casa, estudiar algo nuevo y sorprendente, mirar muchísimos partidos de fútbol, etcétera.

Pero también hay actividades especiales de verano. Por ejemplo, los cursos de natación típicos, ideales para las épocas de calor.

Felipe y Marco están en el auto. Viajan camino al club de natación de la ciudad. Será la primera clase de natación de Felipe.

- ¿Estás listo? -pregunta papá Marco.

- No estoy seguro -dice Felipe, un poco inquieto ante la nueva experiencia.

- ¿Por qué? ¿Qué te preocupa? -pregunta Marco.

- Bueno, todo. Em, los tiburones, por ejemplo. Las orcas, las pirañas -explica Felipe.

- Ja, ja -se ríe Marco -. No hay animales en una piscina, Felipe -le explica.

- ¿Estás completamente seguro? ¿Cómo sabes que, durante la noche, un tiburón no ha entrado a la pileta?

- Porque los tiburones y las ballenas y todos los animales anfibios no pueden salir del agua en la que viven. Si salen del agua, mueren.

- Bueno, entonces un cocodrilo. Los cocodrilos sí salen del agua -propone Felipe.

- Pero los cocodrilos viven en otras partes del mundo, en zonas pantanosas. No en una piscina - explica Marco.

- Wow -dice Felipe. Pero igual no parece muy seguro todavía.

Marco maneja por las calles y mira a su hijo, de reojo. Felipe está visiblemente inquieto: repiquetea con sus dedos, juega con el cinturón de seguridad, se mueve mucho en el asiento y a cada rato pregunta si falta mucho para llegar y si no es mejor volver a casa. Son todas las señales de "Felipe preocupado". Marco encuentra entonces una solución. La mejor manera de calmar a Felipe es con juegos. Le encantan los juegos. Cualquier tipo de juego. Lo ayudan a relajarse y a enfrentar experiencias nuevas.

El problema es que Marco no es muy bueno inventando juegos.

- ¿Felipe, y si jugamos a algo? -le dice a su hijo.

- Sí, me encanta. ¿A qué podemos jugar? -dice Felipe.

- No sé... algo relacionado con el agua...

- Perfecto. Un juego de palabras relacionadas con el agua. Cada uno de nosotros tiene que decir diez palabras relacionadas con el agua. Comenzamos, ya.

- ¿Eh? -dice, sorprendido, su padre, quien todavía no entendió las reglas del juego.

- Comienzo yo entonces -dice Felipe -. Pileta, lavadero, piscina, botella, lago, río, mar, océano, maremoto, laguna. Diez palabras relacionadas con el agua: listo.

- Ahh, ahora entiendo.

- Bueno, es tu turno entonces -dice Felipe.

- Cascada, catarata, arroyo, isla, vertiente... Em... ¿Cualquier palabra relacionada con agua, no?

- Sí, necesitas cinco palabras más -aplaude Felipe.

- Inodoro, cañerías, lavaplatos, lavadero y... aguafiestas. Son diez palabras. Lo logré -dice papá Marco.

- ¿Aguafiestas? ¿Qué es eso? No conozco esa palabra - dice, Felipe, confundido.

- Es una persona que arruina una fiesta por una mala idea -explica Marco.

- ¿Y qué relación tiene con el agua? -dice Felipe.

- Creo que el origen de la palabra es la lluvia. Si hay una fiesta y comienza a llover, la fiesta se arruina. Por eso "agua fiestas" -dice, pensativo, Marco, aunque no está cien por ciento seguro.

- Me encanta -dice Felipe, que ya está más contento y ha olvidado su preocupación inicial.

- Llegamos -dice entonces Marco, señalando el club.

Felipe y él caminan hacia la entrada. El club es un lugar enorme. Tiene varias piscinas, una sala para hacer ejercicio, un lugar para practicar boxeo, una mesa de pool, una mesa de ping pong, un lugar para hacer yoga, una zona para aprender salsa o hacer zumba. Hay mucha gente haciendo distintos tipos de actividades. La piscina para niños está al final del recorrido. Es una piscina pequeña, sin profundidad y sin peligros. La profesora de natación está sentada debajo de una sombrilla, mirando a los niños que chapotean en el agua.

- Bienvenidos -dice la profesora de natación cuando los Rawson llega -. Soy Sabrina -se presenta.

Sabrina es alta y musculosa. Tiene una maya de colores y anteojos de sol y una actitud fuerte y protectora y es increíblemente parecida a una famosa actriz de películas de acción.

- Hola -dice tímidamente Felipe.

- ¿Listo para aprender a nadar? -pregunta Sabrina.

- Puede ser -dice, inseguro, Felipe.

Sabrina es una gran profesora que conoce los distintos tipos de alumnos. Hay alumnos ansiosos: esos alumnos entran directamente al agua pero pueden correr peligro por desprevenidos. Hay alumnos tímidos y precavidos: esos alumnos entran muy lentamente, primero un pie, luego la rodilla, luego el torso y permanecen así, parados, durante un buen rato. Y están, finalmente, los alumnos miedosos. Felipe parece ser un alumno miedoso. Ese tipo de alumnos son la especialidad de la profesora Sabrina. Ella sabe que el agua es algo hermoso, y que nadar es muy divertido. Rápidamente los alumnos miedosos pueden convertirse en amantes del agua. Pero para eso, hay que ir paso a paso.

- Vamos a comenzar nuestra clase -le dice Sabrina a Felipe y a Marco.

- ¿Yo también? -pregunta Marco.

Sabrina le guiña un ojo.

- Hoy todos aprenderemos a relacionarnos positivamente con el agua -dice Sabrina.

- Bueno, está bien -dice papá Marco.

- La primera indicación es observar el agua y describirla - indica Sabrina.

- Es tranquila -dice Felipe.

- Es relajante -dice Marco.

Luego Sabrina indica que escuchen con atención. El sonido calmo del agua que fluye, el movimiento ondulado y lento del agua, el ruido, simpático, de cada chapoteo.

- Ahora el segundo paso es moverse hacia el agua y poner solo los dedos -explica Sabrina.

Marco y Felipe dan un par de pasos hacia el agua.

- ¿Cómo es esa sensación? -pregunta Sabrina.

Marco avanza de la mano de Felipe. Los dos ponen los dedos en el agua.

- Es refrescante -dice Felipe.

- Exacto -dice Sabrina -. Ahora vamos a dar pequeños pasos y mientras explico los distintos modos de nadar.

- ¿Hay distintos modos de nadar? -pregunta Felipe.

- Por supuesto -dice Sabrina -. Hay muchísimos modos, pero el primero y principal se llama “modo perrito”.

- ¿Modo perrito? -pregunta, sorprendido, Felipe.

Entonces Sabrina explica los cinco estilos principales para nadar. El modo “perrito”, explica, es el modo para alumnos iniciales. Hay que imitar a un perro chapoteando en el agua. Es fácil y es un estilo útil para flotar. El segundo estilo, y el más famoso, es el modo “crawl”. Este requiere más técnica y movimiento coordinado de brazos y de piernas. Para el estilo crawl es necesario aprender "el pataleo". Sabrina explica que las siguientes clases aprenderán eso, que es muy divertido. Otro estilo es el estilo espalda, que es una manera de nadar de espaldas al agua, para lo cual es necesario aprender "la plancha". Los dos estilos siguientes son para un momento más avanzado de aprendizaje. El estilo "pecho", que es similar al movimiento de una rana en el agua; el estilo "mariposa" que requiere coordinación y resistencia y es el estilo más difícil para aprender.

- ¿Y este estilo cómo se llama? -pregunta Felipe, que está corriendo, contento, por el agua.

Marco mira a su hijo. Pensar que tenía miedo de las piscinas. Ahora está revoloteando por todo el lugar.

- Ese es el estilo Felipe -dice, sonriendo, la profesora de natación.

Una hora más tarde, la clase termina y los Rawson regresan a casa.

Felipe le cuenta a toda la familia sus aventuras en la piscina. Y también pide ir a bañarse. Mamá Ana y papá Marco le dan permiso para hacerlo. El problema es que está media hora en la bañera, sin salir. Felipe ha encontrado un nuevo lugar para nadar: el baño de su propia casa.

- Felipe, necesito usar el baño -grita Marco, del otro lado de la puerta.

- Papá, no seas aguafiestas -dice Felipe.

Vocabulario

1. **Viajar** - to travel
2. **Autostop** - hitchhiking
3. **Piscina** - swimming pool
4. **Tiburones** - sharks
5. **Orcas** - orcas
6. **Pirañas** - piranhas
7. **Cocodrilos** - crocodiles
8. **Chapoteando** - splashing
9. **Anfibios** - amphibians
10. **Sombrilla** - umbrella
11. **Musculosa** - muscular
12. **Estilo** - style
13. **Perrito** - doggy (as in doggy style swimming)
14. **Crawl** - crawl (as in crawl stroke)
15. **Pataleo** - flutter kick
16. **Mariposa** - butterfly (as in butterfly stroke)
17. **Revuelo** - flutter
18. **Aventuras** - adventures
19. **Bañera** - bathtub
20. **Aguafiestas** - party pooper

Preguntas

1. ¿Cuál fue la primera clase que Felipe tomó en el club de natación?
2. ¿Qué animal temía Felipe que pudiera estar en la piscina?
3. ¿Qué juego inventó Felipe y Marco para relajarse en el camino al club de natación?
4. ¿Cómo se llama la profesora de natación que les da clases a Felipe y Marco?
5. ¿Qué estilo de nado se describe como el modo para alumnos iniciales, imitando a un perro chapoteando en el agua?
6. ¿Qué estilo de nado es famoso y requiere movimiento coordinado de brazos y piernas?
7. ¿Dónde encuentra Felipe un nuevo lugar para nadar después de la clase?

Falso o Verdadero

1. **(F) o (V)**: Felipe inicialmente quería ir solo a la piscina, sin su padre Marco.
2. **(F) o (V)**: Felipe se preocupaba por la presencia de tiburones en la piscina.
3. **(F) o (V)**: En el auto, Marco sugirió jugar a un juego relacionado con el agua.
4. **(F) o (V)**: Felipe y Marco jugaron a decir palabras que no tenían nada que ver con el agua.
5. **(F) o (V)**: La profesora Sabrina tenía una apariencia muy similar a una famosa actriz de comedia.
6. **(F) o (V)**: Uno de los estilos de natación que Sabrina enseña a Felipe es el "modo perrito".
7. **(F) o (V)**: Felipe mostró resistencia y miedo durante toda la clase de natación.
8. **(F) o (V)**: Marco también participó activamente en la clase de natación.
9. **(F) o (V)**: Después de la clase, Felipe encontró la piscina de su casa como un nuevo lugar para nadar.
10. **(F) o (V)**: Felipe y Marco regresaron a casa en autobús después de la clase de natación.

Respuestas

Preguntas

1. La primera clase de Felipe en el club de natación fue una clase de natación para principiantes.
2. Felipe temía que hubiera tiburones, orcas, pirañas o cocodrilos en la piscina.
3. Felipe y Marco inventaron un juego de palabras relacionadas con el agua para relajarse en el camino al club.
4. La profesora de natación se llama Sabrina.
5. El estilo "modo perrito" es para alumnos iniciales y se imita a un perro chapoteando en el agua.
6. El estilo de nado famoso que requiere movimiento coordinado de brazos y piernas es el "crawl".
7. Después de la clase, Felipe encuentra un nuevo lugar para nadar en la bañera de su casa.

Falso o verdadero

1. Falso
2. Verdadero
3. Verdadero
4. Falso
5. Falso
6. Verdadero
7. Falso
8. Verdadero
9. Falso
10. Falso

15. El Picnic en el Parque

Ir de picnic es una de las actividades preferidas para días soleados: solo se necesita una manta, un canasto con comida, un poco de música y amigos. Bueno, también se necesita un buen lugar para ir de picnic: puede ser una plaza, un parque, una montaña, una playa. Un lugar alejado de los centros urbanos, el ruido y la contaminación del aire es ideal.

Elena y Margarita estaban preparando un picnic de bienvenida. Margarita tenía una relación a distancia con un argentino llamado Roberto. Y Roberto estaba de paseo por la ciudad.

- ¿Qué podemos hacer con Roberto? -preguntó Margarita, en voz alta.

- Mmm… ir al cine -dijo Elena.

- En el cine debemos estar en silencio, y no podemos conversar -reflexionó Margarita.

- Es verdad… déjame pensar… podemos hacer un paseo en bicicleta… -dijo Elena.

- Es divertido… me gusta la idea de estar en la naturaleza, pero sería mejor estar quietos… - reflexionó Margarita.

- Entonces podemos ir a un bar a tomar un café. Podemos ir a mi lugar preferido y probar distintas variedades -dijo entusiasmada Elena.

- Me gusta la idea de tomar y comer algo… pero también me gusta la idea de estar en la naturaleza, en algún lugar más silencioso.

-Un picnic entonces -exclamaron las dos al mismo tiempo.

Así fue como llegaron a la idea perfecta.

Margarita preparó la comida: sándwiches en distintas variedades: algunos de jamón y queso, algunos de palta y tomate, algunos de huevo y zanahoria, otros de rúcula y jamón crudo, exquisitos. Elena preparó las bebidas: un par de botellas de agua, un par de gaseosas, un poquito de bebidas energizantes.

Llegaron a la estación de ómnibus en horario puntual. Roberto descendió del autobús y las abrazó a ambas.

- ¿Y esa canasta? -preguntó, sorprendido.

- Vamos a ir de picnic -dijo Margarita, sonriendo.

Roberto tenía dieciocho años y era argentino. Estudiaba ingeniería en una Universidad Argentina y también era fanático de estudiar idiomas. Y siempre hablaba de su país: estaba muy orgulloso de sus distintas costumbres.

- Miren, puedo llevar esto -dijo, abriendo su mochila.

En la mochila había distintos elementos. Roberto los agregó a la canasta.

- ¿Qué es eso? -preguntó Elena, señalando un recipiente.

- Esto es un mate -explicó Roberto -. Es para tomar una infusión, similar a un té.

- Quiero probar -dijo Elena, curiosa.

- ¿Y eso? -señaló Margarita.

- Esos son bizcochitos. O también criollos. Usamos los dos nombres. Es un tipo de pan especial, muy rico para comer en la merienda.

- ¿Merienda? -preguntó Elena -. ¿Y eso? ¿Es un tipo de golosina?

- Ja ja -se rió Roberto -. La merienda es una comida intermedia, entre el almuerzo y la cena. En Argentina somos fanáticos de la merienda y tenemos muchas comidas ideales para ese momento.

- Como los… bizcochitos -dijo Margarita.

- Exacto -dijo Roberto.

Los tres fueron caminando juntos hacia las montañas. Roberto era muy ágil y caminaba rápido; Elena era muy deportiva, y tenía mucha resistencia para las largas caminatas. Margarita, en cambio, era un poco sedentaria. A los seis kilómetros de caminata ya estaba cansada.

- Aquí es un buen lugar -dijo, señalando un lugar con árboles y un poco de sombra.

Elena conocía a su amiga. Quería ir más arriba en la montaña, pero Margarita estaba visiblemente cansada.

Las dos amigas extendieron la manta y abrieron la canasta. Repartieron sándwiches para cada uno.

- Es un lugar tranquilo -dijo Roberto, me gusta.

- ¿Hay lugares así en tu país? -preguntó Margarita.

- Por supuesto, muchos -dijo Roberto.

- ¿Por ejemplo? -preguntó, curiosa, Elena.

- Las cataratas del Iguazú son increíbles -dijo Roberto.

- Es verdad, las conozco -dijo Margarita.

- El glaciar Perito Moreno, el valle de la luna.

- ¿Valle de la luna? Qué hermoso nombre -dijo Elena.

- Es uno de mis lugares preferidos en el mundo. ¿Cuáles son sus lugares preferidos? -preguntó Roberto.

Las dos amigas pensaron durante un rato mientras comían sándwiches.

- Yo viajé poco. Pero me encantaría conocer las Islas Galápagos -dijo Elena.

- Ay, yo también -dijo Margarita.

- Y me gustaría ir al gran salar de Uyuni.

- Yo también -dijo Roberto.

- A mí me gustaría conocer el Amazonas -dijo Margarita.

- Ay, no sé, es peligroso -dijo Elena.

- Quizás en el futuro podamos hacer planes para viajar juntos -pensó Roberto. Era fanático de planificar cosas y de hacer viajes.

- Sí, definitivamente -dijo Margarita.

Entonces llegó el momento de las infusiones y los postres. Elena tenía una sorpresa. Sacó de la canasta un recipiente. En el recipiente había una torta. Parecía exquisita.

- ¿Y esto? -dijo Roberto.

- Es la mejor torta del mundo -dijo Elena, orgullosa.

- Se llama torta tres leches -dijo Margarita -. Es una preparación increíble.

Efectivamente, la torta era magnífica.

- Es la mejor torta que probé en mi vida -dijo Roberto.

- Comería otra porción ya mismo -dijo Margarita.

- Re -dijo Roberto.

- ¿Re? -preguntó Elena.

Roberto se sonrojó. A veces usaba expresiones típicas de su país. Expresiones que otras personas no entendían.

- En Argentina usamos "re" para decir, enfáticamente, "sí" -explicó.

- Me gusta -dijo Margarita -. ¿Puedes dar otros ejemplos de expresiones de tu país?

-Por supuesto -dijo Roberto -. Zarpado, mala onda, chimichurri, bondi, lunfardo.

- Ja ja ja -dijo Elena. ¿Qué significa todo eso?

- Zarpado, por ejemplo, significa que algo es muy bueno.

- Este paisaje es zarpado -dijo Margarita, usando la expresión nueva.

- Exacto -dijo Roberto -. Mala onda es alguien con energía negativa o que no te cae muy bien.

- El jefe de mi trabajo es un poco mala onda -dijo Elena, reflexiva.

- Chimichurri es un condimento especial que usamos para condimentar carne. Es una mezcla de aceite, perejil, cebolla, pimiento y especias.

- Qué rico -dijo Margarita.

- No tan rico como esta torta tres leches, que es zarpada -dijo Roberto, riéndose.

- ¿Bondi es una comida? -preguntó Elena.

- Bondi es sinónimo de colectivo. La usamos mucho en Argentina a esa palabra. Porque tenemos muchos colectivos, je -explicó Roberto.

- Aquí decimos autobús -dijo Margarita.

- En Argentina bondi y otras palabras son típicas del "lunfardo". Es un modo de hablar típico de los primeros inmigrantes europeos. Y continuamos usándolo, por ejemplo, en el tango.

- Me encanta el tango -dijo Margarita -. ¿Podemos bailar un poco?

Pero la verdad era que a Margarita no le gustaba bailar. Elena sabía esto y sonrió, con complicidad. A Margarita le gustaba su amigo argentino, y por eso pidió aprender el tango, que es un baile sensual, de contacto físico y elegancia.

Roberto tomó de la cintura a Margarita y le enseñó unos pasos.

- Bueno, chicos, los dejo solos -dijo, irónica, Elena. Era muy claro que Margarita y Roberto se gustaban. Los tres se rieron de la situación.

- Ven, que te enseño a bailar a tí también -dijo Roberto.

- De ninguna manera, soy malísima bailando -dijo Elena.

- Eres mala onda -dijo Margarita, usando las palabras que había aprendido.

Así pasaron el resto de su tarde de picnic. Conversando, comiendo, haciendo bromas, bailando y disfrutando de la tranquilidad del paisaje y de la ausencia de ruidos. Mientras miraban el atardecer, cada uno pensaba algo distinto.

Margarita pensaba que estaba enamoradísima de ese muchacho.

Roberto pensaba en que quería invitar a Margarita a viajar por el mundo.

Elena, en cambio, pensaba que había comido muchísimo y que necesitaba dormir un buen rato.

- Hora de volver a casa -dijo.

El atardecer fue increíble. Distintos colores, naranjas, amarillos, rojos, violetas, todos en el cielo de ese hermoso día primaveral.

- Qué atardecer zarpado -dijo Margarita.

Habían aprendido muchísimas palabras en solo una tarde. Qué divertido era aprender cosas nuevas.

Vocabulario

1. **Picnic** - outdoor meal
2. **Manta** - blanket
3. **Canasto** - basket
4. **Plaza** - square
5. **Parque** - park
6. **Montaña** - mountain
7. **Playa** - beach
8. **Bicicleta** - bicycle
9. **Café** - coffee
10. **Sándwiches** - sandwiches
11. **Gaseosas** - sodas
12. **Ómnibus** - bus
13. **Mate** - a traditional South American caffeine-rich infused drink
14. **Bizcochitos** - small biscuits or cookies
15. **Merienda** - afternoon snack
16. **Torta** - cake
17. **Zarpado** - awesome or cool (slang)
18. **Bondi** - bus (slang)
19. **Lunfardo** - Argentine slang
20. **Tango** - a dance originating from Argentina and Uruguay.

Preguntas

1. ¿Qué preparó Margarita para el picnic?
2. ¿De qué nacionalidad es Roberto y qué estudia?
3. ¿Qué es el "mate" según Roberto?

4. ¿Qué lugar famoso de Argentina menciona Roberto durante la conversación?

5. ¿Qué expresión argentina usa Roberto para enfatizar un "sí"?

6. ¿Qué significa "bondi" en Argentina?

7. ¿Qué pensaba Elena al final del día?

Falso o Verdadero

1. **(F) o (V)**: Elena y Margarita decidieron ir al cine con Roberto.

2. **(F) o (V)**: Margarita y Roberto tenían una relación a distancia.

3. **(F) o (V)**: Roberto llegó a la ciudad en tren.

4. **(F) o (V)**: Elena preparó los sándwiches para el picnic.

5. **(F) o (V)**: Roberto estudia literatura en una universidad argentina.

6. **(F) o (V)**: En el picnic, probaron una bebida llamada mate.

7. **(F) o (V)**: Roberto explicó que "merienda" es una comida principal en Argentina.

8. **(F) o (V)**: Margarita se mostró interesada en aprender a bailar tango.

9. **(F) o (V)**: El atardecer que observaron tenía colores azules y verdes.

10. **(F) o (V)**: Roberto utilizó la palabra "lunfardo" para describir un tipo de baile.

11.

Respuestas

Preguntas

1. Margarita preparó la comida para el picnic, incluyendo sándwiches en distintas variedades.
2. Roberto es argentino y estudia ingeniería en una Universidad Argentina.
3. Según Roberto, el mate es para tomar una infusión, similar a un té.
4. Roberto menciona las Cataratas del Iguazú como un lugar famoso de Argentina.
5. Roberto usa la expresión "re" para enfatizar un "sí".
6. En Argentina, "bondi" es sinónimo de colectivo o autobús.
7. Elena pensaba que había comido muchísimo y que necesitaba dormir un buen rato.

Falso o verdadero

1. Falso
2. Verdadero
3. Falso
4. Falso
5. Falso
6. Verdadero
7. Falso
8. Verdadero
9. Falso
10. Falso

16. La Fiesta de Cumpleaños

- Claro que sí -dice Felipe. Hay eventos que ocurren exactamente una vez al año: la fiesta de Navidad, Año Nuevo, las Pascuas, el día de la Independencia, el día de la madre, el día del padre, el día del trabajador. Pero hay un día más conocido que todos esos, un día que las personas viven solo una vez por año: su propio cumpleaños.

Hay elementos típicos de un cumpleaños: una buena torta, las velas, el acto de soplar la vela y pedir deseos, la canción de cumpleaños, regalos, una reunión de amigos, buena comida y música. Y, si hay niños, también una piñata.

En la casa de los Rawson había una situación peculiar. Margarita y Marco cumplían años el mismo día: el 28 de febrero. Por eso siempre hacían una fiesta doble y llenaban la casa de gente, de comida y de regalos.

Este 28 de febrero no es una excepción. Margarita cumple 18 años y Marco 44. La casa está repleta de invitados: familiares, amigos, compañeros de colegio, compañeros de trabajo, niños que corren por todos lados y buena música. La casa está dividida en dos zonas: en la parte derecha de la casa está Marco, reunido con sus seres queridos; en la parte izquierda está Margarita, con sus amigos y compañeros. En la parte derecha la gente usa vestimenta más formal, la música es de los años ochenta, las personas saludan a Marco y conversan de hijos, de negocios, de vacaciones y de trabajo; en la parte izquierda, la gente usa vestimenta informal, bailan mucho, algunos fuman cigarrillos y la música es urbana: una combinación de trap, pop y reggaetón.

Felipe ama los cumpleaños y su día preferido del año es este, porque es un cumpleaños doble. Puede hablar con mucha gente, jugar todo tipo de juegos e ir de un lado al otro de la casa.

- Mamá, ¿te puedo ayudar en algo? -pregunta Felipe, dispuesto a ayudar a mamá Ana, que está muy ocupada atendiendo a los invitados.

- Sí, gracias -dice mamá Ana -. ¿Podrías llevar esa bandeja y repartir sándwiches entre los invitados?

- Bueno, ve despacio. Llevar esa bandeja requiere equilibrio -explica Ana.

Felipe toma la bandeja con cuidado. Al principio es difícil, pero luego logra estabilidad. Camina muy lentamente. Cuando está por salir de la cocina, se detiene y mira a su madre.

- Mamá, ¿voy a la zona derecha o la zona izquierda?

- Ja, ja -se ríe su madre -. Primero los adultos -dice Ana.

Felipe camina entonces con la bandeja. Los invitados eligen sándwiches y le agradecen. Un señor robusto y con voz muy grave sonríe y le da un billete de diez dólares.

- Propina para el mozo -dice el señor.

- ¿Qué es propina y quién es el mozo? -pregunta Felipe, sosteniendo el billete.

- Un mozo es una persona que reparte la comida en un restaurante -explica el hombre -. Y propina es el pago simbólico por sus servicios.

Felipe agarra el billete y dice gracias, pero la verdad no entendió nada de nada. Se acerca a su padre y le da un sándwich.

- Papá, ¿necesitas algo? -pregunta Felipe.

- Ayúdame a abrir los regalos - dice su padre.

Esta es la parte preferida de los cumpleaños para Felipe. El momento de abrir regalos. Nunca sabe qué hay detrás de cada paquete.

Felipe ayuda a su padre con los paquetes. En una caja hay una corbata de colores. Marco está contento con el regalo; Felipe en cambio piensa que es un regalo aburrido.

En otra caja hay un reloj. Es definitivamente muy bonito, pero muy pesado, piensa Felipe. Tampoco le gusta ese regalo. Los adultos reciben regalos pero nunca reciben juguetes o cosas divertidas: es un pequeño problema.

Los dos siguientes regalos sí le agradan. Uno es un dispositivo para leer libros electrónicos. ¡Siempre quiso tener uno! El otro es un regalo que al principio parece simple pero que es fantástico. ¡Es otro reloj! Pero, en este caso, es un reloj útil para el ejercicio. Puede decir cuántos kilómetros corres, cuántas son tus pulsaciones, qué velocidad tienes y cuál es la distancia que recorriste. Felipe usa el reloj para ir de un lado al otro de la casa. ¡Quiere uno igual para su próximo cumpleaños!

En la zona izquierda, en cambio, es todo más divertido. Hay un chico vestido con una remera que tiene su propia cara, hay una chica vestida con una remera que tiene la cara del chico; hay un par de jóvenes cantando karaoke, un grupo de chicas que están haciendo coreografías y Margarita y Elena, que están abriendo los regalos.

- Felipe, es tu momento -le dice Margarita a Felipe. Ella conoce muy bien a su hermano y sabe que este momento le encanta.

Hay varios regalos, pero hay dos que a Felipe le parecen geniales. El primero son unos auriculares azules, de increíble calidad. Quiere unos iguales. El segundo regalo genial es un pasaje abierto en avión hacia cualquier lugar de Latinoamérica. Felipe también quiere viajar.

- Tu hermana cumple dieciocho años. Puede hacer su primer viaje sola - dice, orgullosa, mamá Ana.

Margarita la abraza y Felipe las mira atentamente.

- ¿Cuántos años faltan para que yo viaje solo? -pregunta.

- Mmmm… creo que doce - dice, sonriendo, su madre.

- Bueno, cuando cumpla 18 voy a tener mi viaje gratis por el mundo. Es una promesa -dice Felipe, que aparentemente es muy bueno negociando.

- Es el mejor regalo del mundo -dice, contenta Margarita.

- Coincido -dice Elena.

Pero ellas no saben que afuera de la casa hay un regalo mejor.

Después de meses de mantener una relación a distancia, alguien llegó a la ciudad. Es Roberto, el novio argentino de Margarita. Es la sorpresa del cumpleaños, la frutilla del postre, como dice el dicho popular.

Margarita está emocionadísima. Lo besa y lo abraza. Roberto saluda a toda la familia y a Felipe.

- No entiendo -dice Felipe. ¿Tu eres el mejor regalo?

- Ja, ja -se ríe Roberto.

Roberto trae un regalo con muchos regalos adentro: una maleta, para el viaje. Dentro de la maleta hay un mapa de Latinoamérica, una guía con los mejores lugares para visitar y un libro con consejos para viajar por el mundo.

- ¿Vas a viajar conmigo? -le pregunta, emocionada, Margarita.

- Por supuesto -dice Roberto.

A la hora de soplar las velas, las dos zonas del cumpleaños se unen en un mismo lugar: el comedor, en el centro de la casa. Hay una torta para Marco y una torta para Felipe. La torta de Marco tiene forma de teléfono celular (Marco es adicto a los celulares y al trabajo a distancia); la torta de Felipe tiene forma de juego de cartas (Felipe es fanático de ese juego y de cualquier juego).

"Que los cumplas feliz, que los cumplas feliz, que los cumplas, querido Marco, que los cumpla, feliz", cantan los invitados. Después es el turno de Felipe. Y, finalmente, es el momento de soplar las velas y de pedir tres deseos.

Pero los deseos de cumpleaños son algo íntimo y secreto, que no podemos escuchar. Si decimos los deseos de cumpleaños en voz alta, no se cumplen. Por eso, todos están mirando a Marco y Felipe. Finalmente soplan las velas. Es un nuevo año para sus vidas. Claro que sí.

Vocabulario

1. **Claro** - clear
2. **Eventos** - events
3. **Navidad** - christmas
4. **Cumpleaños** - birthday
5. **Torta** - cake
6. **Deseos** - wishes
7. **Regalos** - gifts
8. **Piñata** - piñata
9. **Ocupada** - busy

10. **Fiesta** - party
11. **Invitados** - guests
12. **Música** - music
13. **Vestimenta** - clothing
14. **Bailan** - dance
15. **Karaoke** - karaoke
16. **Viaje** - trip
17. **Promesa** - promise
18. **Regalo** - gift
19. **Sorpresa** - surprise
20. **Maleta** - suitcase

Preguntas

1. ¿Qué eventos menciona Felipe que ocurren una vez al año?
2. ¿Cuáles son los elementos típicos de un cumpleaños según la historia?
3. ¿Qué fecha especial comparten Margarita y Marco y cómo la celebran?
4. ¿Cuántos años cumple Margarita y cuántos Marco en este cumpleaños?
5. ¿Qué diferencias hay entre las dos zonas de la fiesta en la casa de los Rawson?
6. ¿Qué regalo recibe Marco que a Felipe le parece aburrido?
7. ¿Qué sorpresa emocionante recibe Margarita en su cumpleaños?

Falso o Verdadero

1. **(F) o (V):** Felipe es el hijo mayor de la familia Rawson.
2. **(F) o (V):** Marco y Margarita celebran su cumpleaños el 28 de febrero.
3. **(F) o (V):** Felipe recibe un reloj como regalo en la fiesta.
4. **(F) o (V):** La música en la zona de Marco es de los años ochenta.
5. **(F) o (V):** Felipe ayuda a su madre a preparar la comida para los invitados.
6. **(F) o (V):** Margarita recibe como regalo un pasaje abierto en avión hacia cualquier lugar de Latinoamérica.
7. **(F) o (V):** La torta de Marco tiene forma de un automóvil.
8. **(F) o (V):** Roberto, el novio de Margarita, llega como una sorpresa a la fiesta.
9. **(F) o (V):** Felipe lleva una bandeja de sándwiches primero a la

zona izquierda de la fiesta.

10. (F) o (V): Durante la fiesta, hay una sesión de karaoke en la zona de Margarita.

Respuestas

Preguntas

1. Los eventos que ocurren una vez al año son la fiesta de Navidad, Año Nuevo, las Pascuas, el día de la Independencia, el día de la madre, el día del padre, el día del trabajador y el cumpleaños de cada persona.
2. Los elementos típicos de un cumpleaños son una buena torta, velas, soplar la vela y pedir deseos, la canción de cumpleaños, regalos, reunión de amigos, buena comida, música y, si hay niños, una piñata.
3. Margarita y Marco comparten su cumpleaños el 28 de febrero y lo celebran con una fiesta doble, llenando la casa de gente, comida y regalos.
4. Margarita cumple 18 años y Marco 44 años.
5. En la zona derecha de la casa, donde está Marco, la gente usa vestimenta más formal, escuchan música de los años ochenta y conversan sobre temas adultos. En la zona izquierda, donde está Margarita, la gente usa vestimenta informal, baila, algunos fuman cigarrillos y la música es urbana.
6. Marco recibe una corbata de colores, que a Felipe le parece un regalo aburrido.
7. La sorpresa emocionante de Margarita es la llegada de su novio argentino, Roberto, quien había mantenido una relación a distancia con ella.

Falso o Verdadero

1. Falso
2. Verdadero
3. Falso
4. Verdadero
5. Falso
6. Verdadero
7. Falso
8. Verdadero
9. Falso
10. Verdadero

17. El Día de Juegos en Casa

Los juegos son muy importantes para todos los momentos de la vida y hay todo tipo de juegos que rodean la vida contemporánea. Están cada uno de los deportes que conocemos, que son juegos de competición. También están los juegos de mesa y hay muchísimos: desde juegos con tableros, juegos con piezas, juegos con dinero falso, juegos con ruleta. Los juegos de naipe son famosos en todo el planeta, y en cada país hay una variedad distinta: el póker, el rummy, la canasta, la escoba, el truco, son alguno de los tantos juegos disponibles. Están, finalmente, los juegos de la infancia: el escondite, la mancha, el juego de la silla, el juego del congelado. Qué mejor idea para un sábado de invierno que permanecer en casa, jugando distintos juegos en familia. Ese era el plan de los Rawson. Cada persona de la familia tenía la responsabilidad de organizar un juego para ese día.

Y obviamente designaron a cada responsable a través de un juego sencillo. Papá Marco buscó cuatro palillos de distinta extensión y los escondió en su mano. Cada miembro de la familia elegía un palillo. El más corto comenzaba con el día de juegos, y así sucesivamente.

- El palo más largo -dijo Margarita.

- Entonces tu turno para organizar juegos es a la noche -explicó papá Marco.

- El palo más corto -dijo mamá Ana.

- Entonces tu turno para organizar juegos es ahora, en la mañana -dijo Marco.

- Mi palillo es más corto que el tuyo, papá -dijo Felipe.

- Entonces tu turno es a la siesta, luego de mamá -explicó Marco.

De esa manera, organizaron los horarios para los juegos del día.

Durante la mañana la responsable de designar un juego fue mamá Ana. Eligió un juego de mesa muy famoso, sencillo, divertido y útil para agilizar la memoria y la rapidez mental. Ese juego era el tutti frutti.

Estas son las reglas del tutti frutti: se usa una hoja para cada jugador. En la hoja se dibujan varias columnas. Una columna es para la letra seleccionada. Las otras son para distintas categorías. Por ejemplo: animales, comidas, cosas, países, nombres. Luego se completa la lista de acuerdo a la letra que ha tocado. Por ejemplo, para la letra C, Marco escribió: "Animales: Castor; Cosas: Cruz; Comidas: Castañas; Países: Canadá; Nombres: Conrado". Para esa y para todas las otras letras, Felipe fue más creativo. Escribió: "Animales: Comadreja; Cosas: Castañuelas; Comidas: Camarones asados; Países: Congo; Nombres: Calibán". Para esa misma lista, Margarita, que estaba investigando el continente de Oceanía, escribió: "Animales: Canguro; Cosas: Cuchara australiana; Comidas: Croissant de la polinesia; Países: Islas Cook; Nombres: Conrad".

Durante la siesta y luego del almuerzo, el responsable de designar un juego fue Felipe. La siesta era un buen momento para estar quietos y jugar a los juegos preferidos de Felipe: los juegos de la imaginación.

En este caso, el juego era sencillo: cada uno inventaba una palabra y los otros tenían que imaginar su significado. La palabra más creativa fue de Margarita. Esa palabra era: "Mastrelangestalesco". Era una palabra increíble e inexistente en el idioma español. Todas las definiciones inventadas fueron buenas. Mamá Ana escribió esta definición ambigua y asombrosa: "Es eso que está adentro de esa cosa que se usa para cambiar esa otra cosa". Papá Marco escribió esta definición: "Elemento grisáceo que se transforma con el paso de las estaciones, principalmente en primavera". Felipe escribió esta definición bonita: "Es un amanecer tan hermoso que parece dos amaneceres al mismo tiempo".

El juego de la tarde estuvo a cargo de papá Marco, que era fan de los deportes y del movimiento, algo necesario para ese momento del día.

Ese juego fue "la gran olimpiada de la casa".

- ¿Qué es una Olimpiada? -preguntó Felipe.

- Es un conjunto de eventos deportivos con muchísima historia. Las primeras olimpiadas fueron hace más de tres mil años en Grecia -dijo

Margarita, que había buscado la respuesta en Internet.

- ¿O sea que son muchos juegos? -dijo Felipe.

- Es una sucesión de juegos distintos. Competencias como el salto en largo, la carrera de cien metros, el salto en alto, el lanzamiento de disco y la carrera con obstáculos -explicó papá Marco.

- Oh, no, vamos a destruir toda la casa -dijo, preocupada, mamá Ana, imaginando los posibles juegos.

Pero Marco había pensado todo en detalle.

Los juegos de las Olimpiadas de los Rawson eran cuatro.

El primer juego deportivo era el lavado de platos: la persona que lavaba un plato de manera perfecta y en el menor tiempo posible, ganaba. En este juego, Felipe rompió su plato. Papá Marco fue el que más rápido logró el objetivo.

El segundo juego deportivo era atravesar el pasillo de la casa haciendo cuerpo a tierra.

- ¿Qué es cuerpo a tierra? -preguntó Felipe.

- Es arrastrarse por el piso, como una serpiente -explicó Marco.

En este segundo juego olímpico, la ganadora fue mamá Ana, que era sumamente hábil y flexible.

El tercer juego olímpico era el equilibrio total. La persona que se ponía en puntas de pie, cerraba los ojos y se mantenía mayor tiempo en equilibrio era la ganadora. En esta prueba ganó Margarita, que tenía una estabilidad increíble.

El cuarto y último juego olímpico fue el lanzamiento de galletas. Cada persona se colocaba en una esquina de la habitación y le lanzaba la galleta a otra, que debía agarrarla. Si la galleta caía, esa persona era eliminada. Este juego lo ganó Felipe, porque encontró una estrategia muy astuta. ¡Se comía cada galleta!

Cuando eran las siete de la tarde, los Rawson estaban extenuados. Habían atravesado el día con muchos juegos.

Prepararon una cena rica en vitaminas para recuperar sus energías.

También hicieron una variada ensalada de frutas, usando mango, frutilla, durazno, banana y naranja. Era necesario recuperar las energías para enfrentar el último juego.

Afortunadamente, ese juego solo necesitaba de internet. Porque era el juego propuesto por Margarita. Este juego era simple pero eficaz. Cada uno de los Rawson tenía que buscar una página de internet que fuera muy extraña e interesante. No era fácil. Es que "extraño" es una categoría muy amplia que depende de cada persona.

Mamá Ana entendió perfectamente la consigna. Encontró una página en donde podías simplemente escuchar el sonido de distintos tipos de lluvia. Era muy relajante o terrorífico, depende del tipo de lluvia que elegías. Además, era posible investigar en qué lugar y en qué época había caído ese tipo de lluvia.

Marco, fanático del trabajo virtual, encontró una página que podía administrar las tareas laborales. Cuando cada tarea estaba terminada, recibía una notificación en el celular y la computadora dejaba de funcionar por media hora. Era una página buena para la salud mental, sin dudas.

Mamá Ana encontró una página con fotos viejas de familias. Fotos en blanco y negro y fotos sepia, del siglo XIX, momento de los inicios de la fotografía. Mamá Ana era fanática de las antigüedades y de las fotografías. Había una foto particularmente llamativa. Era una foto de una pareja y sus dos hijos: eran iguales a los Rawson, pero doscientos años atrás.

La página que eligió Margarita fue genial. Había que mirar una foto y decir qué lugar del mundo era. Se usaba un mapa, y si el lugar elegido estaba cerca tenías un buen puntaje. También era posible mover la foto y buscar detalles. Fue una manera de viajar durante esa última noche de juegos.

A las once de la noche, los Rawson estaban extenuados. Qué familia tan creativa. ¡Y qué manera de jugar!

Vocabulario

1. **Juegos** - games
2. **Deportes** - sports
3. **Ruleta** - roulette
4. **Naipe** - playing card
5. **Escondite** - hide and seek
6. **Mancha** - tag
7. **Palillos** - sticks
8. **Inexistente** – non-existent
9. **Olimpiada** - olympiad
10. **Cuerpo a tierra** - prone position
11. **Equilibrio** - balance
12. **Galletas** - cookies
13. **Vitaminas** - vitamins
14. **Ensalada** - salad
15. **Frutilla** - strawberry
16. **Durazno** - peach
17. **Antigüedades** - antiques
18. **Fotografías** - photographs
19. **Puntaje** - score
20. **Creativa** - creative

Preguntas

1. ¿Cuáles son los tipos de juegos mencionados al principio de la historia?
2. ¿Cómo eligió la familia Rawson el orden para organizar los juegos?
3. ¿Qué juego de mesa eligió mamá Ana para jugar en la mañana?
4. ¿Cuál fue la actividad creativa que propuso Felipe durante la siesta?
5. ¿En qué consistía el juego de la tarde organizado por papá Marco?
6. ¿Qué tipo de página de internet buscó mamá Ana para el juego de la noche?
7. ¿Cómo termina la historia de la familia Rawson?

Falso o Verdadero

1. **(F) o (V):** La familia Rawson organizó un juego al aire libre durante la tarde.
2. **(F) o (V):** Margarita fue la ganadora en el juego del equilibrio total.
3. **(F) o (V):** El juego de la siesta consistía en adivinar acertijos.
4. **(F) o (V):** Durante el juego de tutti frutti, Felipe fue más creativo que los demás.
5. **(F) o (V):** Mamá Ana eligió un juego de cartas para la mañana.
6. **(F) o (V):** La página de internet que encontró Marco estaba relacionada con la administración de tareas laborales.
7. **(F) o (V):** El último juego de la noche requería el uso de un mapa.
8. **(F) o (V):** En el juego de la olimpiada, uno de los eventos era el salto en largo.
9. **(F) o (V):** Papá Marco fue el más rápido en el juego del lavado de platos.
10. **(F) o (V):** Felipe ganó el juego del lanzamiento de galletas comiéndoselas.

Respuestas

Preguntas

1. Los tipos de juegos mencionados son deportes, juegos de mesa, juegos de naipe y juegos de la infancia.
2. La familia utilizó palillos de distinta extensión para decidir el orden, donde el más corto determinaba quién empezaba.
3. Mamá Ana eligió el juego de mesa "tutti frutti".
4. La actividad creativa de Felipe consistía en inventar palabras y que los demás imaginaran su significado.
5. El juego de la tarde era "la gran olimpiada de la casa", con eventos deportivos adaptados al hogar.
6. Mamá Ana encontró una página de internet donde se podía escuchar el sonido de distintos tipos de lluvia.
7. La historia termina con la familia Rawson exhausta después de un día lleno de juegos creativos y divertidos.

Falso o Verdadero

1. Falso
2. Verdadero
3. Falso
4. Verdadero
5. Falso
6. Verdadero
7. Verdadero
8. Falso
9. Verdadero
10. Verdadero

18. La Aventura en el Parque de Atracciones

Para su cumpleaños número siete, Felipe tenía distintos planes. Era difícil elegir uno: podía ser un cumpleaños en casa, podía ser un cumpleaños en el circo, podía ser un cumpleaños en el cine, en un estadio, en un show musical, podía ser también en otro país, en un barco. Un cumpleaños en avión era una idea genial pero difícil. Y también había otra idea: un cumpleaños en el parque de diversiones. Al final, los Rawson eligieron ese plan de cumpleaños.

El nombre del parque de diversiones era "Sonrisas". Era un parque nuevo, construido cerca del lago, con muchísimas atracciones y juegos de todo tipo. Las personas comentaban que el parque era genial y muy divertido, apto para toda la familia. Por eso, Felipe y su familia eligieron pasar su cumpleaños ahí, rodeados de juegos.

Camino hacia el parque de atracciones, Margarita investigó los mejores parques de atracciones del mundo. La lista de los mejores tres eran:

En primer lugar, obviamente el parque de los estudios Universal. Este parque se ubica en Florida, Estados Unidos. Es uno de los parques más grandes, emocionantes y divertidos del mundo, en el que es posible sentirse como en el set de filmación de una película. Este enorme complejo alberga multitud de atracciones completamente inmersivas gracias al 3D y los efectos especiales increíbles. Esos juegos y atracciones están basados en algunas de las mejores películas de la historia del cine. ¡Es como estar en una película!

En segundo lugar, estaba el Europa park, en Alemania. Este parque se encuentra localizado en la localidad de Rust y se caracteriza por estar dividido en quince zonas distintas llamadas como los principales países europeos o sus regiones. Cuenta con 16 montañas rusas y más de 100 atracciones, entre las que se encuentra la llamada Blue Fire. Es el parque ideal para los amantes de la adrenalina.

En tercer lugar, Everland, en la provincia de Gyeonggi-do, en Corea del Sur. Es uno de los mejores parques de atracciones del mundo y también de los más visitados. Se trata de un parque en el que la diversión está cien por ciento asegurada, gracias a que alberga una gran variedad de atracciones temáticas. Entre ellas, una de las montañas rusas de madera más famosas del planeta.

El parque Sonrisas no era tan grande, ni tan monumental, pero era suficiente para un buen cumpleaños. Había muchos tipos de juegos: una casa embrujada, el laberinto de espejos, un laberinto de arbustos, un tiro al blanco, la montaña rusa, una rueda de la fortuna, y también, autos chocadores.

Felipe, amante de los juegos, no podía decidirse entre tantas opciones. Por eso alguien tuvo una gran idea.

- Elijamos un juego cada uno -dijo mamá Ana.

- Sí, perfecto -dijo Felipe.

- Empiezo yo -dijo papá Marco, que era fanático de los deportes y de los juegos de competencia. Fue por eso que eligió el tiro al blanco.

En la tienda de tiro al blanco las reglas eran las siguientes: había que tomar un arco y tres flechas y disparar contra distintos objetivos. Cada objetivo tenía escondido un premio.

A mamá Ana no le gustaban las armas, por eso no jugó. Para Felipe era muy difícil, él solamente observó.

Margarita lanzó las tres flechas. Una de ellas pasó cerca de un conejo, pero no acertó a ningún objeto y, por lo tanto, no tuvo premios. Papá Marco, en cambio, acertó dos de sus tres flechas. Un premio era un chocolate, el primer regalo de Felipe en ese día. El otro premio era una foto de Marco, con disfraz de cazador. Fue una foto muy divertida, papá Marco parecía un actor de película.

- Ahora es mi turno de elegir -dijo Margarita.

Había estado mirando los diferentes juegos y uno le llamó particularmente la atención. La montaña rusa de los gritos y las sonrisas. Era un paseo vertiginoso en un carro, a través de las alturas y atravesando también una cascada. Parecía muy divertido.

Ana y Marco prefirieron no usar la montaña rusa. No era un juego para gente de su edad. Fue el turno de Margarita y Felipe.

Felipe estaba un poquito preocupado al principio.

- ¿Estás bien? -le preguntó su hermana, antes de comenzar con la montaña rusa.

- Estoy un poco mareado -dijo Felipe.

No tuvieron tiempo de cambiar de planes, porque la montaña rusa comenzó a funcionar.

- Cerrá los ojos y dame la mano -le dijo Margarita.

Felipe hizo la mitad del paseo con los ojos cerrados, sintiendo el viento en la cara y la intensa velocidad de la montaña. En la segunda vuelta fue valiente y abrió los ojos. Miró a Margarita, que estaba gritando aferrada al carro. Era verdad: estaban los dos sonriendo y gritando al mismo tiempo. Fue una experiencia excepcional, una mezcla única de miedo, sorpresa y adrenalina.

- Ahora es mi turno de elegir juego - dijo mamá Ana.

Hasta el momento ella no había participado en ninguno. ¿Qué elegiría?

- Quiero ese -dijo, señalando hacia los autos chocadores.

La elección de Ana fue muy buena: participó toda la familia, cada una en uno de los autos. En una carretera común y corriente, conducir un carro y chocarlo es una pésima idea. Conducir un carro con el objetivo de chocar directamente contra otro es directamente ilegal y puede tener como resultado la prisión. Pero en un parque de atracciones, gracias al divertido juego de los autos chocadores, es posible hacerlo y golpear directamente contra el carro del otro. Es sumamente divertido. Ana era la más hábil conduciendo: logró esquivar golpes y fue la que más golpeó los autos ajenos.

- ¡Otra vez! -dijo Felipe, que estaba contentísimo con el juego.

- ¿Seguro que no quieres probar un juego nuevo? Sería el último del día -le dijo papá Marco.

Felipe se quedó pensando. Es verdad que chocar autos era divertido, pero también es verdad que había muchas otras posibilidades. Podía elegir la rueda de la fortuna o el laberinto de espejos, por ejemplo.

- No me decido entre dos opciones -dijo Felipe.

- Pues es tu cumpleaños, hagamos las dos -dijo mamá Ana.

Felipe saltó contento. Fueron a la rueda de la fortuna. Margarita obtuvo un "beso de payaso" (puaj); Marco obtuvo un premio castigo: saltar como canguro sietes veces (fue muy gracioso); Ana obtuvo una gaseosa gratis; y Felipe, el mejor premio de todos, porque estaba en su día de suerte. ¡Otra visita al parque de atracciones!

Podía conocer los otros juegos en la próxima visita.

Pero antes de irse, era hora del laberinto de espejos, un laberinto increíble con espejo de todo tipo: espejos con imágenes flacas, espejos con imágenes gordas, espejos con imágenes altísimas, espejos con imágenes enanas, espejos con imágenes de otro color, un increíble espejo multicolor, un espejo cuyo reflejo era un animal. Pero eso no era todo: había un asombroso espejo con un reflejo muy especial. Si delante del espejo estaba Felipe, el reflejo era de su padre. Si delante del espejo estaba su padre, el reflejo era de Margarita. Siempre reflejaba a otra persona. Era un espejo totalmente inexplicable y magnífico.

- Debe ser un truco de magia -dijo Margarita, reflexivamente.

También había un espejo más. Un espejo secreto, en un rincón del laberinto.

Detrás de ese espejo, había una persona leyendo cada una de las palabras de este texto, mientras aprendía español.

Sonreía, y se imaginaba la vida de los Rawson, ese día en el parque de atracciones.

Vocabulario

1. **Cumpleaños** - birthday
2. **Circo** - circus
3. **Estadio** - stadium
4. **Parque de diversiones** - amusement park
5. **Sonrisas** - smiles (name of the park)
6. **Atracciones** - attractions
7. **Universal** - universal
8. **Florida** - florida
9. **Europa park** - europa park
10. **Montañas rusas** - roller coasters
11. **Gyeonggi-do** - gyeonggi-do (a province in south korea)
12. **Laberinto de espejos** - mirror maze
13. **Tiro al blanco** - archery
14. **Autocarros** - cars (in the context of bumper cars)
15. **Rueda de la fortuna** - ferris wheel
16. **Cascada** - waterfall
17. **Montaña rusa** - roller coaster
18. **Adrenalina** - adrenaline
19. **Espejos** - mirrors
20. **Reflejo** - reflection

Preguntas

1. ¿Cuántos años cumplió Felipe en su cumpleaños?
2. ¿Qué parque de diversiones eligieron los Rawson para celebrar el cumpleaños de Felipe?
3. ¿Qué parque de atracciones se menciona en primer lugar como uno de los mejores del mundo?
4. ¿Qué juego eligió el papá de Felipe en el parque de diversiones?
5. ¿Qué sintió Felipe al principio cuando estaba en la montaña rusa?
6. ¿Qué juego eligió mamá Ana en el parque de diversiones?
7. ¿Qué premio obtuvo Felipe al final del día en la rueda de la fortuna?

Falso o Verdadero

1. **(F) o (V)**: El parque de diversiones "Sonrisas" está ubicado junto a un lago.

2. **(F) o (V)**: Margarita acertó todas las flechas en el juego de tiro al blanco.

3. **(F) o (V)**: Felipe eligió la montaña rusa como su juego favorito.

4. **(F) o (V)**: Marco ganó un chocolate y una foto disfrazado de cazador en el tiro al blanco.

5. **(F) o (V)**: Ana y Marco decidieron subirse a la montaña rusa con Felipe y Margarita.

6. **(F) o (V)**: Felipe se sintió muy seguro y emocionado desde el comienzo en la montaña rusa.

7. **(F) o (V)**: El laberinto de espejos tenía un espejo que reflejaba animales.

8. **(F) o (V)**: Felipe obtuvo como premio en la rueda de la fortuna un beso de payaso.

9. **(F) o (V)**: Margarita fue la única que lanzó flechas en el tiro al blanco.

10. **(F) o (V)**: El Europa Park se encuentra en Rust, Alemania.

Respuestas

Preguntas

1. Felipe cumplió siete años.
2. Los Rawson eligieron el parque de diversiones "Sonrisas" para celebrar.
3. El primer parque mencionado como uno de los mejores es el parque de los estudios Universal en Florida, Estados Unidos.
4. El papá de Felipe eligió el juego de tiro al blanco.
5. Felipe se sintió un poco mareado al principio en la montaña rusa.
6. Mamá Ana eligió el juego de los autos chocadores.
7. Felipe obtuvo como premio otra visita al parque de atracciones.

Falso o Verdadero

1. Verdadero
2. Falso
3. Falso
4. Verdadero
5. Falso
6. Falso
7. Verdadero
8. Falso
9. Falso
10. Verdadero

19. El Día en la Granja

Un miércoles, en mitad de una semana cualquiera, Felipe entró a clases. Había algo raro en el ambiente, no parecía un día ni una clase común y corriente.

Sus amigos Sofía y Nico pensaban igual.

- Está por pasar algo extraño -dijo Sofía, que era muy observadora.

- Quizás la directora de la escuela fue secuestrada por extraterrestres -propuso Nico, siempre tan imaginativo.

- No sé... ¿por qué hay una caja de leche en la puerta de entrada? -dijo Felipe.

- ¿Y por qué hay un paquete de huevos? -preguntó Sofía.

- ¿Y estas nueces? -preguntó Nico.

Eran elementos poco habituales. Definitivamente, era un día inusual. La directora de la escuela entró contenta a la clase y miró a todos los alumnos. Señaló los distintos productos: el paquete de huevos, las nueces, la caja de leche.

- Hoy haremos una visita especial. ¿Pueden adivinar dónde? -preguntó, misteriosa.

- Para mí. al supermercado -dijo, primero, Nico.

- Mmm... frío -dijo la directora, sugiriendo que el lugar era más lejano.

- ¿Entonces es una visita al zoológico? -preguntó Felipe.

- Tibio -dijo la directora, sugiriendo que el lugar era similar, pero no exactamente en esa zona.

- ¡A una granja! -dijo, entusiasmada, Sofía, que era muy pero muy buena para las adivinanzas.

- Exacto -dijo la directora. Por eso tienen esos elementos entre ustedes. En una granja se recolectan huevos de gallinas. En una granja se siembran y cosechan todo tipo de alimentos, como estos nueves. Y en una granja se ordeñan vacas para obtener leche. Son lugares fundamentales para nuestras vidas modernas- explicó.

Todos saltaron contentos y fueron directo hacia el colectivo, listos para encaminarse a la granja. El colectivo arrancó, con los niños ansiosos por llegar. Al principio pasaron cerca del centro de la ciudad, luego se alejaron hacia los límites y entraron en la zona rural. Después de una hora de viajes y de paisajes distintos, sin muchos edificios, ni comercios, la clase llegó a una gran granja rural.

- Esto es muy lejos de casa -dijo, preocupado, Nico.

- Es solo una hora de viaje de distancia -explicó la directora.

- Pero es un lugar muy diferente, no hay edificios, no hay autos -dijo Sofía.

- ¡Y no tengo internet! -dijo, sorprendido, Felipe, mostrando su celular.

- En esta zona no hay señal. Estamos solos y tranquilos junto a los animales -dijo la directora, señalando hacia la granja.

- Wow, es una vida totalmente distinta a mi vida común -dijo Nico.

Durante la primera hora, el grupo escolar hizo un picnic a la sombra. Almorzaron todo tipo de productos de la granja: una miel increíblemente deliciosa, tortillas de huevos de gallinas felices, frutillas, ciruelas y cerezas de estación, ensalada de espinaca y de acelga, y también unos riquísimos quesos producidos en la granja.

Cuando terminaron de almorzar, estaban listos para conocer los distintos sectores y animales de la granja. Tenían un guía especializado para eso: el señor Echeverri.

- Una granja está compuesta de varias zonas - explicó el señor Echeverri-. Vamos a ver esas distintas zonas.

El primer lugar que visitaron fue el establo, que es el lugar donde viven los caballos.

- Un establo es generalmente una estructura sencilla de madera con techo. Tiene heno, y mucha ventilación. ¿Alguien sabe qué es el heno? -preguntó el guia.

- Yo, yo, yo -dijo Sofía.

- Señorita -dijo el señor Echeverri, señalándola.

- El heno es un pasto que comen los caballos.

- Correcto -dijo el guía -. El heno es un alimento especial perfecto para el ganado. ¿Alguien sabe qué tipo de ganados hay en una granja? -preguntó el guía.

- Está el ganado y el perdedo -dijo Felipe, haciendo un juego de palabras chistoso.

- Ja, ja -dijo el guía -. Incorrecto, pero gracioso. La respuesta correcta es esta: tenemos ganado equino, o sea, los caballos, ganado ovino, o sea, las ovejas, ganado vacuno, que son las vacas.

- ¿Solo esos tres? -preguntó Sofía.

- En esta granja, sí, solo tenemos esos tres. Pero también hay dos tipos de ganado que no tenemos: el ganado caprino, o sea, cabras; y el ganado porcino, o sea, cerdos -explicó el guía -. ¿Alguien sabe cuál es el sonido que hacen los cerdos?

- Oink, oink -dijo, contento, Felipe.

- ¿Y el sonido de las vacas? -preguntó el guía.

- Muuuuuuuuuuuuuuuuuuuuu -dijo Nico.

- Igualito a una vaca -dijo, riéndose, Sofía.

El guía señaló hacia otro lugar de la granja.

- Cocorocó -se escuchaba, del otro lado de una puerta.

- ¿Alguien me puede explicar qué animal hace ese sonido? -preguntó el guía.

- ¡Las gallinas! -gritaron los niños.

Por eso el segundo lugar que exploraron los niños fue el gallinero. Es un lugar que protege a las gallinas del viento, de la lluvia y del frío. Tiene barras elevadas, un lugar donde las gallinas suelen dormir. Y también tiene recipientes con comidas y agua, explicó el guía. Un gallinero tiene una cosa más, que es fundamental: los ponederos, es decir, el lugar en donde las gallinas ponen sus huevos.

- ¿Alguien me explica qué comidas podemos hacer con huevos? -preguntó el señor Echeverri.

- Muchísimas - contestó Sofía -. Tortillas, fideos, tortas, helados, huevos fritos.

- Exacto -dijo la directora -. Los huevos son fundamentales para la alimentación. Aunque hay personas que deciden no comer huevos. ¿Cómo se llaman esas personas?

Los niños se miraron confundidos. La directora sonrió.

- Veganos - explicó la directora -. Pueden investigar eso en sus casas. Es una tarea especial.

El siguiente lugar que los niños exploraron fue el granero. El granero es el lugar donde se guardan los granos. Es decir, es un depósito para reservar los granos en buenas condiciones. Para evitar los ratones y las inundaciones, los graneros están construidos, generalmente, sobre una superficie elevada, explicó el señor Echeverri.

- Y ahora -dijo- vamos a conocer la última parte: la gran huerta.

- Mi parte preferida -dijo la directora.

El guía entonces les enseñó una cerca. Al pasarla, encontraron distintas plantaciones, muchos árboles, tierra mojada y distintos sectores con siembras. Había remolachas, batatas y papas, en una zona; había rúcula, lechuga y acelga, en otra zona; había menta, cilantro, romero y perejil, en la zona de las especias particulares; había un manzano con hermosas manzanas, un ciruelo, un cerezo, un nogal; también había frutillas y un sector para calabazas, zapallos y calabacines.

- Es muchísima comida -dijo, asombrada, Sofía.

- Efectivamente -explicó el guía -. En una huerta podemos sembrar todo tipo de cosas y, combinada con otros alimentos, tenemos una gran dieta para nuestras vidas. Producida con nuestras propias manos en esta granja -dijo el guía, sonriendo.

Los niños estaban encantados con la granja.

Sofía dijo que quería ser granjera y tener miles de animales.

Nico dijo que podía ayudarla, que a él le encantaban los caballos.

Felipe dijo que le gustaba vivir en la ciudad, pero que podía visitarlos.

Antes de salir, el guía mostró una bolsa con frutillas que parecían exquisitas.

- Vamos a hacer un juego. El que responde una pregunta gana estas frutillas -propuso.

El guía señaló hacia un extremo de la granja. Había una habitación pequeña. Afuera había una pala, un hacha y un rastrillo.

- ¿Cómo se llama el lugar para guardar las herramientas? -preguntó el guía.

- Guardaherramientas -dijo rápidamente Felipe.

El guía hizo un gesto negativo.

- El hogar de las herramientas -dijo, astuto, Nico.

El guardia se rio, pero hizo otro gesto negativo.

- Cobertizo -dijo Sofía, sonriendo.

Su respuesta era la correcta. Ella se ganó una gran bolsa de frutillas. La compartió con toda la clase en el camino de regreso a la escuela. Comieron muchísimas frutillas. ¡Estaban exquisitas!

Vocabulario

1. **Extraño** - strange.
2. **Secuestrada** - kidnapped.
3. **Extraterrestres** - extraterrestrials, aliens.
4. **Nueces** - nuts.
5. **Ordeñan** - milking.
6. **Colectivo** - bus.
7. **Rural** - rural.
8. **Establo** - stable.
9. **Heno** - hay.
10. **Ganado** - cattle.
11. **Gallinero** - henhouse.
12. **Ponederos** - nesting boxes.
13. **Veganos** - vegans.
14. **Granero** - barn.
15. **Huerta** - vegetable garden.
16. **Remolachas** - beetroots.
17. **Acelga** - chard.
18. **Calabazas** - pumpkins.
19. **Zapallos** - squash.
20. **Cobertizo** - shed.

Preguntas

1. ¿Qué día de la semana ocurrió la historia?
2. ¿Qué objeto inusual encontraron Felipe, Sofía y Nico en la entrada de la escuela?
3. ¿A qué lugar especial fueron de visita los niños de la escuela?
4. ¿Qué tipo de granos se guardan en el granero mencionado en la historia?
5. ¿Cuál fue el primer lugar que visitaron los niños en la granja?
6. ¿Qué animal hace el sonido "Cocorocó" según la historia?
7. ¿Cómo se llama el lugar donde se guardan las herramientas en la granja?

Falso o Verdadero

1. **(F) o (V)**: Los niños encontraron nueces, huevos y una caja de leche en la entrada de la escuela.
2. **(F) o (V)**: Nico ganó una bolsa de frutillas en el juego propuesto por el guía.
3. **(F) o (V)**: La clase fue al zoológico en su visita especial.
4. **(F) o (V)**: El señor Echeverri era el guía especializado de la granja.
5. **(F) o (V)**: En la granja, los niños vieron ganado caprino y porcino.
6. **(F) o (V)**: Sofía respondió correctamente qué es el heno.
7. **(F) o (V)**: Los niños comieron pollo en su picnic en la granja.
8. **(F) o (V)**: En el gallinero, hay un lugar especial donde las gallinas ponen sus huevos.
9. **(F) o (V)**: La directora explicó que todos los humanos son veganos.
10. **(F) o (V)**: El cobertizo es el lugar donde se guardan las herramientas.

Respuestas

Preguntas

1. La historia ocurrió un miércoles.
2. Encontraron una caja de leche en la entrada de la escuela.
3. Los niños fueron de visita a una granja.
4. En el granero se guardan los granos.
5. El primer lugar que visitaron fue el establo, donde viven los caballos.
6. El sonido "Cocorocó" lo hacen las gallinas.
7. El lugar donde se guardan las herramientas se llama cobertizo.

Falso o Verdadero

1. Verdadero
2. Falso
3. Falso
4. Verdadero
5. Falso
6. Verdadero
7. Falso
8. Verdadero
9. Falso
10. Verdadero

20. La Visita al Parque Nacional

En la casa de los Rawson todos eran fanáticos de la naturaleza y las excursiones fuera de la ciudad. Durante los últimos años, los Rawson visitaron el zoológico, fueron de picnic, pasearon por las montañas y fueron a la playa.

Pero todavía tenían un viaje más, y ese fin de semana fue el momento ideal para hacerlo. Era la visita al parque nacional más cercano, un lugar increíble, que siempre quisieron visitar. En ese parque nacional estaba el volcán más famoso del país.

Era un viaje de dos horas en auto. En la primera parte del viaje, Felipe propuso el juego de las palabras. Debían decir palabras relacionadas con los parques nacionales.

- Guardabosques -dijo mamá Ana.

Felipe la miró totalmente asombrado. Le encantaban las palabras compuestas: guardabarros, paraguas, anteojos, paracaídas. Pero "guardabosques" no la conocía.

- ¿Qué es eso? ¿Una persona que guarda un bosque? ¿Dónde lo guarda? ¡Es muy grande un bosque para guardarlo!

- Guardabosque es la persona que cuida al bosque. En este caso "guardar" es sinónimo de "proteger" -explicó Ana.

- Ahhhh -dijo Felipe, ahora entiendo -. Es la persona que está protegiendo al bosque.

- Exacto -dijo mamá Ana -. En un parque nacional siempre hay algunos guardabosques.

- Otra palabra importante es "autóctono" -dijo Margarita.

- ¿Autóctono? ¿El auto de Ctono? -dijo Felipe -. ¿Quién es Ctono?

- Autóctono quiere decir que una cosa es de ese lugar. Los animales y la flora autóctonos son aquellos que habitualmente viven en un lugar -explicó Margarita.

- No entiendo -dijo Felipe -. ¿Entonces también hay fauna y flora no autóctona?

- Por supuesto -explicó mamá Ana, que era especialista en el tema -. Hay especies provenientes de otros lugares. Los caballos, por ejemplo, no son originarios de nuestro país.

- ¿En serio? -dijo Felipe -. ¿De dónde son entonces?

- Originariamente son del Cáucaso Norte -explicó Ana -. Llegaron a nuestro continente con los colonizadores.

- ¿Los gatos como Pinocho también? -preguntó.

- Tampoco. Los gatos son animales originarios del sudoeste de Asia, hace muchísimos años atrás.

- Wow, increíble. Entonces hay animales autóctonos y animales no autóctonos -dijo, reflexivamente, Felipe.

- Lo mismo ocurre con las plantas - dijo Marco, mientras manejaba camino al parque nacional. Por ejemplo, los ciruelos, no tienen origen en nuestro continente.

Felipe estaba asombrado: había aprendido algo nuevo, algo sumamente importante. Ahora se preguntaba qué cosas eran autóctonas y qué cosas no.

Margarita, mientras tanto, estaba muy interesada con los parques nacionales. Por eso buscó en internet los mejores parques nacionales del mundo. Había muchísimos, pero sus preferidos fueron tres.

En primer lugar, el parque nacional Galápagos. Pertenece a la República del Ecuador y está ubicado en el océano Pacífico, a casi 1.000 km del continente. El parque es famoso por su riqueza biológica y es un lugar inmejorable para ver las tortugas gigantes en su hábitat natural y para hacer submarinismo.

En segundo lugar, estaban las Cataratas del Iguazú: Este parque ha sido declarado Patrimonio de la Humanidad en 1986. Las cataratas lindan con

Argentina y Brasil y se encuentran a pocos kilómetros de la Triple Frontera con Paraguay. Las cataratas son maravillosas. La fauna del lugar está compuesta por yacarés, anacondas, boas, monos tití, coatíes, el tucán grande y coloridas mariposas amarillas manchadas de negro que asombran a los visitantes. La flora de la catarata está compuesta principalmente por el palmito, el palo rosa y ese aroma a colorada tierra mojada y flores dulzonas que impregna todo el lugar.

En tercer puesto, el parque nacional Los Glaciares. Fue creado en el año 1937 y es patrimonio mundial de la UNESCO desde 1981. Es el reino de los hielos continentales y glaciares, con zonas casi deshabitadas, muestras de restos prehistóricos, pinturas rupestres, fósiles humanos, animales y vegetales. Y también con una multiplicidad de emocionantes paisajes, áridos, helados o semiáridos dependiendo de la época del año y las temperaturas.

Todos los Rawson estaban de acuerdo en que esos tres parques nacionales eran geniales. Seguramente los visitarían en el futuro. Mientras tanto, ya estaban en la entrada del parque nacional que habían elegido para visitar.

Pagaron un ticket para cada visitante. Una guía se sumó a su viaje. Era una muchacha casi idéntica a Margarita, pero con pecas y el pelo de color negro azabache.

- Vamos a hacer un paseo por el parque -dijo. Para eso es necesario respetar algunas reglas.

Estas eran las reglas para pasear por el parque nacional:

La velocidad máxima dentro de los parques es de 50Km por hora.

Está prohibido conducir de noche, desde las 18:30 hasta las 06:30 de la mañana siguiente.

Está prohibido conducir fuera de los caminos y pistas.

No se debe arrojar basura ni colillas fuera del vehículo en ningún momento.

No se permite coger plantas, flores, huesos, etc.

No se debe tocar ni dar de comer a ningún animal.

No se permiten materiales tóxicos, armas o explosivos.

No se permite introducir ningún animal dentro del parque.

No se permite bajar del coche o asomar la cabeza por la ventanilla cuando hay un animal cerca.

Está prohibido matar o molestar a los animales.

- Son reglas totalmente razonables -dijo Marco.

- Sí, y son reglas muy necesarias -dijo mamá Ana.

- No entiendo -dijo Felipe -. ¿Por qué no es posible entrar con un animal al paseo del parque?

- Es una buena pregunta -dijo la guía -. Es para cuidar la fauna y flora autóctona. Al traer un animal extranjero al lugar, puedes producir cambios e interacciones con malos resultados para el ecosistema y para la vida del lugar.

- Wow -dijo Felipe -. No había pensado en eso.

- ¿Y por qué no es posible dar de comer a los animales de aquí? -preguntó, curiosa, Margarita.

- Por la misma razón. Cada animal y cada planta tiene una forma de vivir relacionada con su ecosistema. Introducir un cambio en su alimentación puede modificar las interacciones del conjunto y eso trae cambios no deseados peligrosos para algunas de las especies.

- Entiendo -dijo Margarita.

Junto a la guía, los Rawson pasearon durante un par de horas por el parque nacional. Entonces llegaron al momento más importante: la vista del gran volcán. Era un volcán momentáneamente inactivo, en un paisaje espléndido. ¡Parecía un paisaje de otro planeta!

- ¿El volcán puede despertar en cualquier momento? -dijo Felipe, asustado.

- Los volcanes son impredecibles, pero gracias a sistemas actuales podemos predecir sus comportamientos. En este momento, el volcán es inofensivo.

Los Rawson estaban totalmente asombrados. El volcán era un espectáculo increíble. Era alucinante el ruido, la lava petrificada en los costados, la sensación de estar junto a algo poderoso y quieto.

La guía sacó algunas fotos de los Rawson junto al volcán. En la mejor foto, los cuatro miembros de la familia saltaban al mismo tiempo, abriendo las manos en el aire.

Luego de la foto y del paseo por el volcán, los Rawson regresaron a la entrada del parque nacional. La guía dio una última explicación.

-El parque es considerado un laboratorio viviente por su complejidad en el desarrollo de procesos biológicos. Ocurren aquí cosas que no ocurren en ninguna otra parte del planeta-dijo.

- ¿Es verdad que el agua de este parque es la principal fuente de energía hidroeléctrica del país? -preguntó Margarita.

- Es totalmente cierto -dijo la guía -. Tú conoces muchas cosas sobre parques -dijo.

- Conoce todo tipo de cosas -dijo mamá Ana.

- ¿No te gustaría ser guía aquí? Estamos buscando guía. Solo necesitas hacer algunos cursos -preguntó la guía.

- Me encanta -dijo, contenta, Margarita.

Había sido una visita increíble. El parque era tan grande que los Rawson decidieron volver otra vez, en las siguientes vacaciones.

Margarita, mientras tanto, tenía una oportunidad para su primer trabajo.

Y Felipe estaba obsesionado con los volcanes. Toda esa semana investigó sobre volcanes despiertos y volcanes dormidos.

Vocabulario

1. **Fanáticos** - fanatics (enthusiasts).
2. **Excursiones** - excursions.
3. **Zoológico** - zoo.
4. **Picnic** - picnic.
5. **Montañas** - mountains.
6. **Playa** - beach.
7. **Volcán** - volcano.
8. **Autóctono** - indigenous (originating or occurring naturally in a particular place).
9. **Especies** - species.
10. **Ecosistema** - ecosystem.
11. **Fauna** - fauna.
12. **Flora** - flora.
13. **Patrimonio** - heritage.
14. **Submarinismo** - scuba diving.
15. **Yacarés** - caimans (a type of crocodilian reptile)
16. **Coatíes** - coatis (a member of the raccoon family, native to south and central america).
17. **Glaciares** - glaciers.
18. **Fósiles** - fossils.
19. **Hidroeléctrica** - hydroelectric.
20. **Volcanes** - volcanoes.

Preguntas

1. ¿Cuál era la pasión compartida por la familia Rawson?
2. ¿Qué juego propuso Felipe durante el viaje en auto y cuál fue la primera palabra que mencionó su mamá?
3. ¿De qué origen son los gatos, según explicó mamá Ana?
4. ¿Cuáles fueron los tres parques nacionales favoritos de Margarita y en qué se destaca cada uno?
5. ¿Qué regla del parque nacional cuestionó Felipe y cuál fue la explicación de la guía?
6. ¿Qué característica especial tenía el volcán que visitaron los Rawson en el parque nacional?
7. ¿Qué oportunidad se le presentó a Margarita al final de la visita al parque nacional?

Falso o Verdadero

1. **(F) o (V)**: La familia Rawson siempre quiso visitar un parque nacional con un volcán famoso.

2. **(F) o (V)**: Durante el juego de palabras en el viaje, Felipe fue el primero en mencionar la palabra "autóctono".

3. **(F) o (V)**: Los caballos no son originarios del país de los Rawson.

4. **(F) o (V)**: El Parque Nacional Los Glaciares fue creado en 1981.

5. **(F) o (V)**: El Parque Nacional Galápagos es conocido por sus tortugas gigantes.

6. **(F) o (V)**: Margarita no mostró interés en los parques nacionales durante su viaje.

7. **(F) o (V)**: Las Cataratas del Iguazú fueron declaradas Patrimonio de la Humanidad.

8. **(F) o (V)**: Se permite tocar a los animales en el parque nacional.

9. **(F) o (V)**: La familia Rawson planea volver al parque nacional en sus próximas vacaciones.

10. **(F) o (V)**: Al final de la historia, Felipe decide convertirse en guardabosques.

Respuestas

Preguntas

1. La familia Rawson era fanática de la naturaleza y las excursiones fuera de la ciudad.
2. Felipe propuso el juego de las palabras relacionadas con los parques nacionales, y mamá Ana mencionó "guardabosques" como primera palabra.
3. Los gatos son animales originarios del sudoeste de Asia.
4. Sus parques nacionales favoritos eran: el parque nacional Galápagos en Ecuador, famoso por su riqueza biológica; las Cataratas del Iguazú, Patrimonio de la Humanidad y ricas en fauna y flora; y el parque nacional Los Glaciares, patrimonio mundial de la UNESCO y conocido por sus hielos continentales y glaciares.
5. Felipe cuestionó por qué no se podía entrar con un animal al parque, y la guía explicó que era para proteger la fauna y flora autóctona.
6. El volcán del parque nacional estaba momentáneamente inactivo, pero era impredecible.
7. A Margarita se le presentó la oportunidad de ser guía en el parque nacional, ya que estaba buscando guías y solo necesitaba hacer algunos cursos.

Falso o Verdadero

1. Verdadero
2. Falso
3. Verdadero
4. Falso
5. Verdadero
6. Falso
7. Verdadero
8. Falso
9. Verdadero
10. Falso

A Special Request

Dear Reader,

As you embark on your journey through the pages of our Spanish stories, we hope that you find each narrative enriching, engaging, and educational. Your experience with our book is incredibly important to us, and we would be truly grateful if you could take a moment to share your thoughts on Amazon.

Why Your Feedback Matters:

Help Other Learners: Your feedback can guide other language enthusiasts in choosing a resource that fits their learning needs.

Support Our Work: Your insights help us understand what you loved and how we can enhance our future publications.

Build a Community: Reviews create a space for learners like you to connect, share experiences, and grow together.

Leaving a review is quick and simple:

1) Visit the Amazon page where you purchased our book.
2) Scroll down to the 'Customer Reviews' section.
3) Click on 'Write a Customer Review' and share your thoughts.

Whether it's a few words or a detailed text, every review counts and is deeply appreciated.

Thank you for choosing our book for your Spanish learning journey. We can't wait to hear about your experience!

Discover the Entire "The Journey to Fluency" Series: Your Journey to Language Mastery

You're currently exploring the fifth installment of our comprehensive "The Journey to Fluency" series, a collection of 8 books designed to guide you through various stages of language learning. This book, as 5, marks the beginning of an enriching journey into the world of language mastery.

Explore the Full Series for a Complete Learning Experience

1. **Broaden Your Horizons:** Each volume in the series is tailored to cover different aspects and levels of language learning, ensuring a well-rounded experience.
2. **Progressive Learning:** As you move through the series, you'll build upon your skills progressively, allowing for a natural and effective learning curve.
3. **Diverse Content:** The series offers a variety of content, from beginner to advanced levels, catering to all learners' needs.

How to Discover More:

Scan the QR Code located in the last page: For direct access to the entire series, scan the QR code provided. It will take you to a page where you can view all the books in the "The Journey to Fluency" series.

Search on Amazon: Type "Acquire A Lot" in the Amazon search bar to find and explore all the books in our series.

Take a Look at Our Other Books in the Series:

Scan me and discover the entire Spanish series

Made in the USA
Las Vegas, NV
19 February 2024

85975904R00092